CANCELANDO O CANCELAMENTO

Como o identitarismo da militância tabajara
ameaça a democracia

MADELEINE LACSKO

Como o identitarismo da militância tabajara
ameaça a democracia

Apresentação de
Claudio Manoel

Prefácio de
Raphael Tsavkko Garcia

Posfácio de
Aldo Rebelo

São Paulo | 2023

Copyright © 2023 by Madeleine Lacsko
Copyright © de edição – LVM Editora

Os direitos desta edição pertencem à LVM Editora, sediada na
Rua Leopoldo Couto de Magalhães Júnior, 1098, Cj. 46 - Itaim Bibi
04.542-001 • São Paulo, SP, Brasil
Telefax: 55 (11) 3704-3782
contato@lvmeditora.com.br

Gerente Editorial | Chiara Ciodarot
Editor-Chefe | Pedro Henrique Alves
Revisão | Laryssa Fazollo
Preparação | Marcio Scansani e Pedro Henrique Alves
Projeto gráfico | Mariangela Ghizellini
Diagramação | Décio Lopes

Impresso no Brasil, 2023

Dados Internacionais de Catalogação na Publicação (CIP)
Angélica Ilacqua CRB-8/7057

L145c	Lackso, Madeleine
	Cancelando o cancelamento: como o identitarismo da militância tabajara ameaça a democracia / Madeleine Lackso – São Paulo: LVM Editora, 2023.
	224 p.
	Bibliografia
	ISBN 978-65-5052-059-5
	1. Ciências sociais 2. Liberalismo 3. Liberdade de expressão I. Título
22-7453	CDD 300

Índices para catálogo sistemático:

1. Ciência sociais

Reservados todos os direitos desta obra.

Proibida a reprodução integral desta edição por qualquer meio ou forma, seja eletrônica ou mecânica, fotocópia, gravação ou qualquer outro meio sem a permissão expressa do editor. A reprodução parcial é permitida, desde que citada a fonte.

Esta editora se empenhou em contatar os responsáveis pelos direitos autorais de todas as imagens e de outros materiais utilizados neste livro. Se porventura for constatada a omissão involuntária na identificação de algum deles, dispomo-nos a efetuar, futuramente, as devidas correções.

A maneira mais segura de preparar uma cruzada em favor de alguma boa causa é prometer às pessoas que elas terão a chance de maltratar alguém. Ser capaz de destruir com boa consciência, ser capaz de se comportar mal e chamar de "indignação justa" é o cúmulo do luxo psicológico.

ALDOUS HUXLEY

SUMÁRIO

Apresentação | *Claudio Manoel* 11

Prefácio | *Raphael Tsavkko Garcia* 13

Capítulo 1 | O que é identitarismo 23
    De que teoria brotou isso? 25

Capítulo 2 | A cultura do cancelamento 35
    a. Comportamentos tóxicos 45

Capítulo 3 | Como eu entrei nessa história 57
    a. Entrevista com Meghan Daum 72

Capítulo 4 | Nós amamos odiar 77
    a. Realismo ingênuo, o combustível da treta 84

Capítulo 5 | Alfabetização na língua do algoritmo 95
    a. Como funcionam os tais algoritmos 99
    b. Contexto x conteúdo 111

Capítulo 6 | A falácia das microagressões 119

Capítulo 7 | Racionalidade: fatos, opiniões e sensações 127

Capítulo 8 | Ideias infecciosas e a política dos *memes* *131*
    a. O manual da radicalização 135
    b. O que é discurso de ódio 156

Capítulo 9 | O capitalismo avança sobre pautas sociais........ 167
a. A incapacidade de lidar com a realidade 176
b. Etimologia freestyle............................... 187
c. Antirracismo de Taubaté é nocivo 193

Capítulo 10 | A era de ouro do Zen-Fascismo 197

Capítulo 11 | Por onde é a saída? 207

Posfácio | *Aldo Rebelo* 213

Ao meu filho Lourenço, que ilumina minha alma com a mistura de sabedoria e deboche; a todos os que me ajudam a cultivar a fé e a manter a firmeza espiritual; aos amigos fiéis e aos meus apoiadores que fizeram comigo a travessia de um deserto nos últimos anos; aos corajosos que participam desta publicação em dias de cancelamento; à minha família, que me trouxe até aqui.

APRESENTAÇÃO

COMUNICADO

Claudio Manoel[1]

Aos clientes, amigos, fornecedores, colaboradores, seguidores etc. QIAP+

As Organizações Tabajara, líder mundial do setor monopolista, vêm a público, mais uma vez, reafirmar a excelência de toda a sua vastíssima linha de produtos e serviços, o seu altíssimo padrão e repudiar a recorrente associação entre sua marca, reconhecida internacionalmente (ou mais), a qualquer coisa de baixa qualidade, vagabunda, picareta ou similar.

Essa verdadeira campanha difamatória, caluniosa, injusta e tabajarafóbica, jamais enganará nossos trilhões de consumidores, que sempre conheceram e nunca duvidarão dos nossos compromissos com inovação, tecnologia, sustentabilidade, diversidade e, principalmente, *compliance*, que ainda não sabemos muito bem do que se trata, mas está muito na moda.

Isso prova, que mesmo sendo um tradicional conglomerado corporativo megablaster, nunca deixamos de nos atualizar, atender às novas demandas da sociedade e encarar os desafios do século XXI.

---

1. Claudio Manoel é roteirista, ator e diretor. Trabalhou na Rede Globo por muitos anos, em programas como TV Pirata, Casseta & Planeta (que liderou o horário por 2 décadas e Fantástico (onde criou e dirigiu o quadro: "O que vi da vida?"). Como documentarista, realizou: "Simonal – Ninguém sabe o duro que dei' (2008), "Tá rindo de quê? – Humor e Ditadura" e "Rindo à Toa – Humor sem limites" (ambos de 2020 - Emoções Baratas), "Chacrinha – Eu vim para confundir e não para explicar" (Media Bridge - 2021) e a série documental (5 episódios – Globoplay), "Meu amigo Bussunda" (também 2021 e Emoções Baratas). Atualmente, está à frente da sua própria produtora, a "Emoções Baratas".

Um exemplo contundente disso foi a reforma profunda do nosso estatuto, que alterou, significativamente, até o nosso milenar objetivo fundador: "Dominar o mundo e escravizar as raças inferiores", que, após uma análise e reavaliação profunda, passou a ser: "Dominar o mundo de forma sustentável e escravizar apenas os intolerantes que não toleramos".

Dito isso, o objeto em questão, no caso este livro que você tem em mãos, de autoria da Sra. Lackso (jornalista e encontro consonantal), não tem nada a ver com o que falamos até agora.

É tão envolvente, perspicaz e bem escrito, joga luz em questões complexas e também desmascara as que se fingem de importantes. Ajuda a entender e se guiar nesta babel/época enlouquecida, fragmentada, histérica, autoindulgente etc. e QIPA+. Ou seja, tem tantas qualidades que não só orgulha e valoriza a marca Tabajara, como nos inspirou a lançar o sensacional, prático e revolucionário...

Militanter identitareitor automatic premium plus tabajara

O único capaz de militar em qualquer causa, de qualquer ideologia, orientação ou o que for, com apenas um clique no menu. Totalmente interativo, orgânico e capacitado a lacrar em qualquer bolha existente, ou que venha a ser criada.

Em vários modelos e duas cores: Vermelho–comuna e Amarelo–minion.

Seus problemas acabaram

Claudio Manoel (um dos sócios–fundadores das Organizações Tabajara).

PREFÁCIO

Raphael Tsavkko Garcia[2]

É difícil explicar o "movimento" ou ideologia identitária. Ou melhor, explicar é fácil – trata-se de um movimento com base em uma ideologia supremacista importada dos EUA sem qualquer tradução, que tem por base o silenciamento ou cancelamento de vozes discordantes –, mas é difícil entender como chegamos em um fundo do poço de completo descolamento da realidade.

A Madeleine, sem dúvida, vai mais fundo do que minha explicação inicial sobre o "wokeísmo" – afinal, trata-se do livro dela –, mas compartilhamos a mesma visão sobre a internet – de ontem e de hoje.

Como ela, via a internet como a possibilidade de uma nova ágora. Não mais uma comunicação majoritariamente unidimensional – assistimos ou lemos ao jornal –, mas bi e mesmo multidimensional – quem acessa o Twitter, por exemplo, acaba influenciando jornalistas, trocando ideias, participando do processo de criação da notícia.

Se é verdade que realmente temos essa comunicação multidirecional, também temos o outro lado: uma massa de ignorância, de conspiracionismo, ódio e desinformação que não apenas surgiu na superfície, como em muitos momentos chega a ser (ou ao menos parecer) majoritária.

Como na era da TV e dos jornais impressos, as redes sociais seguem selecionando o conteúdo que você vê, como vai lembrar a Madeleine algumas páginas adiante. Os algoritmos são os novos

---

2. Raphael Tsavkko Garcia, doutor em direitos humanos (Universidade de Deusto) e mestre em Comunicação (Cásper Líbero), é jornalista publicado em diversos meios internacionais e especialista em política internacional.

editores, só que infinitamente menos capazes de selecionar conteúdo decente do que os antigos editores.

E os algoritmos são muitas vezes censores. E censores burros – se é que podemos falar em censura inteligente.

O que temos hoje é não um espaço aberto de debates e troca de ideias em que uma multiplicidade de vozes que tem a oportunidade de ter sua vez, mas sim um espaço de controle, muitas vezes murado, em que algoritmos selecionam o que vai ter mais ou menos espaço e sem nenhuma capacidade de selecionar com base em qualidade e mérito – aliás, "mérito" é uma palavra que se tornou maldita, mas esse é assunto para outro dia.

O fato é que o denominador comum, hoje, é o mais baixo possível. O pior.

Não quero soar negativo, por mais que não seja adepto da tese do copo meio cheio e meio vazio, mas o fato é que se é verdade que problemas sociais não são uma novidade, especialmente em um país como o Brasil, a internet se não piorou, também não trouxe soluções.

Mas, na verdade, em muitos aspectos, piorou, basta um passeio rápido por grupos de WhatsApp em que até pais e filhos se tornam inimigos mortais em um comportamento que dificilmente se repetiria no mundo dito real.

Mas digresso.

Os identitários surgem – ou chegam ao Brasil – em meio a esse bacanal desgovernado em que as redes sociais surgem como mediadores da comunicação e têm papel preponderante em influenciar o discurso público. Mas por "discurso público" devemos compreender apenas uma parcela da elite com acesso e tempo para se dedicar a essa tarefa.

O que acontece, no fim das contas, é que a elite cada vez mais se desgarra do resto da população que adota uma dinâmica completamente diferente, consome outros discursos e, no fim, acaba se chocando contra os valores impostos por essa pequena parcela da elite que sequer chega a representar sua totalidade ou quiçá nem sua maioria.

Não surpreende que para uma pessoa de classe média mais ou menos progressista seja uma surpresa tremenda a vitória do bolsonarismo nas eleições para o Congresso em 2022. Descolados da realidade do país e imersos em sua bolha onde a discussão mais importante é quem é mais ou menos oprimido e tem lugar de fala, nunca irão compreender o mundo ao seu redor nem que o "outro lado" também aprendeu a usar as redes.

Não é à toa que cancelamentos em geral acabam atingindo especialmente aqueles que são parte dessa elite e que estão no mesmo lado – mas ousam ter alguma crítica ou simplesmente não se submeteram às regras de etiqueta da (pós)modernidade. Ou mesmo que cometeram algum erro bobo há 20 anos (em geral pelos padrões de hoje) e alguém descobriu.

Isso tudo se traduz em um clima político insuportável, afinal mesmo interações entre dois ou mais indivíduos acabam sendo transformadas em "política" no conceito mais pueril do termo pela turma "identitária".

Não seria correto afirmar que a esquerda identitária é a única responsável por ter transformado o clima político e a convivência social em algo insuportável, claro, mas não se pode negar que a responsabilidade desse grupo estridente não é pequena.

No Brasil, eram quase desconhecidos, irrelevantes, até começarem a ser usados pelo PT após 2013 como forma de controlar a militância de esquerda e impedir críticas ao governo – ao Lula tudo era permitido, tudo estava perdoado. Aos demais? O cancelamento, o ostracismo.

O que era ainda um movimento nascente, *fringe*, restrito a certos espaços *online*, acabou sendo instrumentalizado pelo maior partido de esquerda do país como forma de submeter e neutralizar a esquerda que havia ocupado as ruas e que começava a escapar ao controle ferrenho que o PT (ou seus satélites como o PCdoB) exercia sobre movimentos sociais e sindicais.

Movimentos autônomos eram inaceitáveis, ainda mais os que ousavam protestar (também) contra governos do PT. A solução foi criar uma cortina de fumaça em que os direitos dos oprimidos não eram conquistados mais com base na luta de classes, mas na luta fratricida entre identidades.

A capacidade de se conviver com as diferenças e os diferentes tornou-se maldita – brancos contra negros, mulheres contra homens,

LGBTs contra héteros e, mais ainda, membros de cada um desses grupos contra outros membros do mesmo grupo, cada um buscando ser mais oprimido que o outro.

Não deixa de ser irônico que esse "movimento" tenha origem liberal (nos EUA), adotando o pior da moral punitivista cristã e que, no Brasil, tenta conviver ao lado do marxismo de uma militância cada vez mais confusa que francamente acredita que todo homem é machista, todo branco é racista, todo hétero é homofóbico e daí em diante.

Ao menos os velhos marxistas acreditavam que a revolução solucionaria todos os problemas (dica: não soluciona), mas com os identitários o "mal" é eterno e insuperável porque não se dá por suas condições materiais, mas sim pela sua identidade, pelo que você é ou quem é. Um branco sempre será branco e não importa o quanto ele seja antirracista, ele sempre será racista.

Um hétero pode até militar no movimento LGBT, mas ele sempre será homofóbico porque nasceu de uma determinada forma. Não existe caminho para mudança, apenas para a eterna expiação dos pecados originais.

E aqui me lembro de uma história pessoal.

Por muitos anos participei e ajudei a organizar atividades em defesa dos direitos da população LGBT. Ajudei a organizar beijaços, protestos por direitos, atividades *online*, discussões… Isso antes da onda identitária.

Um ativista hoje famoso nas redes sociais estava apenas enga-tinhando quando nos conhecemos por grupos da internet. Naquela época ele dizia ter admiração por mim que, hétero, dedicava meu tempo a uma causa que não era necessariamente minha. Passado algum tempo, e já convertido à ideologia supremacista identitária, ele foi um dos que incitou uma turba a me expulsar de grupos *online* LGBTs por ter cometido o crime de ser hétero – ou, na verdade, ter discordado dele em uma discussão sobre como agir diante de uma questão que já nem lembro mais qual era.

No fim o "pecado original" foi usado como forma de silenciar alguém que era visto como adversário em uma discussão banal, e é basicamente para isso que serve o identitarismo – para calar a boca, encerrar discussões, para que um grupo ou um indivíduo possa ter supremacia sobre os demais.

É o tal "lugar de fala" que deveria ser meramente uma perspectiva privilegiada, mas virou um instrumento de censura.

Se por um lado, diz a Madeleine, "em cada momento da nossa vida uma identidade pode se sobrepor à outra" – e no caso dela, ela é cristã, mãe, mulher, jornalista, *youtuber* e fã de *Star Wars* –, por outro a ideia do identitário de "sobreposição" é a identidade dele se sobrepor à(s) sua(s), seja qual for e silenciá-lo, submeter.

Identidades não se sobrepõem, não dialogam, elas servem para subjugar outras dentro da fantasia identitária. E como lembra a Madeleine, identitarismo não é um fenômeno exclusivo de esquerda – na verdade os tais "movimentos identitários" nascem na extrema-direita, em particular com nazistas –, mas acabaram se tornando a faceta mais visível da esquerda hoje e algo extremamente danoso, em parte por ser algo externo e mesmo alienígena à noção de esquerda e de progressismo.

Não que, como a Madeleine explicará mais adiante, pautas com base em identidade não sejam importantes, pelo contrário, a luta contra o racismo, a homofobia, o machismo e afins é importantíssima e por muito tempo ausente dentro da própria esquerda.

O problema é que essas pautas passaram não a ser parte, mas a se tornar a razão de ser, a utopia máxima e tudo é válido para se chegar a essa utopia – inclusive agir da mesma forma que grupos supremacistas do "outro lado", como a relativização da ciência, apelo moralista, desconexão com a realidade, dentre outras características que serão analisadas mais profundamente ao longo do livro.

Identitarismo, em grande parte, não passa de reserva de mercado para que indivíduos irrelevantes e que de outra forma não causariam qualquer impacto na sociedade terem destaque. Para que certas pessoas consigam holofotes, cargos, emprego, dinheiro e fama não pelo que são capazes de fazer, mas pelo quanto são capazes de reclamar – de que são vítimas da sociedade.

Enquanto isso, as verdadeiras vítimas continuam obscurecidas e esquecidas.

A internet não trouxe a visibilidade esperada a grupos marginalizados, mas sim a mercadores identitários capazes de se vender como vítimas e operar algoritmos para conseguir *likes* e *views*. Quando desafiados, usam o cancelamento como instrumento para calar qualquer um que ouse desafiar seu espaço – e com isso capitalizam ainda mais, também contando com a "culpa" de quem cai em tais discursos e se vê no papel de opressor.

Esse processo é aliado da infantilização do jovem adulto que vemos hoje, dos *memes* engraçadinhos usados para disfarçar o vazio de ideias e de argumentos e um extremismo "progressista" que desafia a ciência e toma de assalto a academia com *trigger warnings* e imposição de censura a pesquisas.

Em muitos momentos, a diferença entre um conservador terraplanista e um progressista identitário contrário à biologia é apenas o destaque dado pela mídia – e o sucesso que ideias anticiência conseguem dentro da própria academia sob pena de cancelamento, ostracismo, demissão e até agressão de quem ousar discordar.

É sobre isso que a Madeleine trata em um dos mais importantes capítulos do livro quando fala da teoria da ferradura e como os métodos da esquerda identitária e da extrema-direita (que também se chama identitária) são próximos – ou mesmo iguais.

Apesar de toda a promessa de ampla liberdade de expressão que a internet nos trouxe, o que vemos é cada vez mais a pregação da censura e o fechamento em bolhas. Qualquer discurso que escape da norma identitária é tratado como "de ódio" e logo censurado, seja pela força do cancelamento, seja pelos algoritmos e pelas gigantes de tecnologia que adotam o discurso *woke* como forma de propaganda.

Estamos chegando numa encruzilhada em que teremos de decidir que sociedade queremos, uma em que existe espaço para diálogo, para discursos mesmo "complicados", controversos, ou onde praticamos a "censura do bem", cancelamos nossos amigos e escolhemos (ou somos forçados) a viver em bolhas com medo que nossas opiniões vazem.

E este livro da Madeleine é um excelente ponto de partida para entender a situação em que nos encontramos e, mais ainda, por que chegamos a este ponto. Termino esta introdução pouco mais de dia após a derrota de Jair Bolsonaro nas eleições, enquanto parte do país celebra e outra parte arma barricadas e fecha estradas pedindo por um golpe.

Dois lados com diferenças aparentemente irreconciliáveis e um país fraturado. O que precisamos neste momento é de um processo de desradicalização, não apenas da direita chucra, mas também da esquerda identitária. Um processo amplo, trabalhoso e árduo de diálogo, construção de pontes, compreensão e boa vontade em que os extremos percam espaço, sejam colocados para escanteio, e que aqueles que realmente querem ter um futuro possam dialogar como adultos.

Antuérpia,
1º de novembro de 2022

CAPÍTULO 1

O QUE É IDENTITARISMO

Em junho de 2022, numa dessas olimpíadas de virtude nas redes sociais, a *influencer* Antonia Fontenelle fez uma exposição brutal e injusta da atriz Klara Castanho. Talvez você se lembre.

A atriz de 21 anos foi estuprada, manteve a vida do bebê e, com apoio da família, optou pela entrega legal para a adoção. Não tinha condições de criar o bebê com o amor que ele merece e sem as marcas da violência. Certamente uma outra família que já estava na fila de adoção terá essas condições. Foi um ato de cuidado supremo e de altruísmo. A *influencer* disse até que era crime. Obviamente foi massacrada pelo público, pediu desculpas depois.

Outra atriz, Samantha Schmütz, quis defender Klara Castanho, mas não resistiu em se jogar no campeonato digital de virtude e cancelar alguém. Defendeu que não devemos nem andar na mesma calçada de Antonia Fontenelle, a quem se referiu como "cachorra sarnenta".

O vereador Felipe Becari, namorado da atriz Carla Diaz, resolveu entrar no campeonato de virtude defendendo os cachorros sarnentos que podem ter ficado ofendidos com a postagem.

> Triste ver o termo "cachorra sarnenta" […] pode ser besteira, é em tom pejorativo, mas resgatamos animais com sarna todos os dias, geralmente invisível e que, pelo aspecto e aparência, são agredidos e tão desprezados. Colocada nesse contexto, a frase só reafirma esse triste preconceito… triste – disse o vereador.

Muito provavelmente você já reconheceu esse ritual da lacração, que se repete o dia inteiro, indefinidamente. Diante de um evento que chama a atenção das pessoas, diversos perfis resolvem fazer comentários condenatórios e canceladores com o objetivo de sinalizar virtude.

Identitarismo é um neologismo usado por mim e por diversos outros como tradução do fenômeno *"woke"*. É uma palavra substituída algumas vezes por wokeísmo. Muito importante deixar bem claro que identitarismo e pautas identitárias são coisas muito diferentes.

Pauta identitária ou militância identitária é aquela que tem como referência a identidade social de um grupo de pessoas. Podem ser movimentos políticos e sociais legítimos e importantes.

Cada um de nós tem várias identidades sociais que convivem entre si. Eu, por exemplo, sou cristã, mãe, mulher, jornalista, *youtuber* e fã de *Star Wars*. Em cada momento da nossa vida, uma identidade pode se sobrepor à outra.

Suponha que queiram tirar algum direito das mães. A tendência é que as pessoas com essa identidade social se agrupem para lutar por algo importante para todas elas. Isso acontece hoje com cristãos, homossexuais, negros, mulheres, todo o rol do que se convencionou chamar de "minorias".

Pauta identitária não é só progressista nem só de esquerda. As pautas da bancada evangélica, por exemplo, também são identitárias. Na política não se pode chamar assim devido à dissonância e confusão que causa. Mas são, a rigor, pautas que o grupo apoia em nome de uma identidade social, ser evangélico.

Você já deve ter ouvido muitas vezes que a militância identitária exagera ou é ditatorial, que reclama de problemas que não existem. Muito provavelmente também discorda de quem diz que não há racismo, machismo e homofobia. Existe, todo mundo tem uma história de alguém próximo para contar.

Onde fica esse caminho do meio? Em separar o que é pauta identitária que interfere na vida real e o que é identitarismo ou wokeísmo, esse festival de gente que se sente ofendida com turbante. Num primeiro momento, pode parecer muito complicado. Confesso que demorei anos estudando até conseguir conectar diversos estudos e relatos para enxergar essa linha divisória.

Espero que, ao final do livro, eu consiga fazer você percorrer todo esse caminho para passar a enxergar com clareza uma das forças que mais ameaçam a democracia, o identitarismo. É um movimento incentivado sobretudo por grandes conglomerados econômicos transnacionais e se torna avassalador com a dinâmica das *Big Techs*.

Você deve estar pensando que movimentos de extrema-direita, como o neonazismo, já produziram episódios bem mais violentos. É verdade. Ocorre que eu não entendo das bases teóricas da direita como entendo as da esquerda. Exatamente por isso, consigo diferenciar o que é política do que é identitarismo, a privatização da militância.

Não falamos aqui de um fenômeno que salta aos olhos, como esses ligados às correntes políticas mais nefastas da história humana. Mas falamos do primeiro que conseguiu entrar nas universidades e passar a ser tratado como ciência. Contaminou também a imprensa e fez com que seus dogmas fossem tratados como verdades ou explicação de fenômenos.

Se o identitarismo fosse tratado como o que realmente é, uma teoria crítica ou até uma espécie de seita religiosa, não haveria problemas sociais causados pela existência dele.

O problema está em tratar como explicação de fenômenos o que é apenas teoria crítica, um levantamento de hipótese sem comprovação efetiva no mundo real. Também se trata como verdade científica ou consenso acadêmico muita coisa que é somente crendice criada nos campeonatos digitais de virtude.

De que teoria brotou isso?

No ambiente universitário, o identitarismo é o bebê de Rosemary das teorias críticas da Escola de Frankfurt com pós-estruturalismo francês. São correntes de pensamento surgidas no século XX que se contrapõem ao iluminismo.

O iluminismo defende que a razão e a ciência levam à evolução da humanidade, critica o absolutismo e defende a liberdade econômica.

A Escola de Frankfurt acredita que a ciência e a evolução podem levar ao regresso da humanidade, sendo o exemplo lapidar a invenção da câmara de gás.

O pós-estruturalismo questiona o conceito de razão e, por consequência, que ele possa ser pilar da evolução humana. Também contesta os conceitos de objetividade e razão. Não existe uma única verdade, tudo é relativo.

Obviamente há explicações muito mais profundas que isso, faço só um breve relato para explicar a base do comportamento do identitarismo. Não há objetividade, razão nem estruturas. Dessa forma, não há sistema opressor, cada um é opressor do outro.

Também não há objetividade, verdade nem fato científico. A ciência é criada por um sistema opressor e branco, que pode nos levar a regressos em vez de apontar para o progresso. Esqueça a ideia de que o tempo só avança, isso vem da ciência e, portanto, está contaminado pela opressão.

A Escola de Frankfurt é de esquerda, socialista e contra o capitalismo. Entre os pós–estruturalistas, a maioria esmagadora também é declaradamente de esquerda. São movimentos que fazem muito sucesso no ambiente universitário e entre as elites urbanas.

Suponhamos que as teorias marxistas defendidas pela Escola de Frankfurt realmente fossem colocadas em prática. Quem seriam os primeiros a perder todo tipo de coisa, inclusive o protagonismo? A elite urbana que defende as tais teorias. A conta não fecha.

Não é bem assim. Só parece que não fecha. Há uma mudança de paradigma. A elite seria o alvo se as estruturas de poder vigentes fossem as responsáveis pela opressão. Por concentrar dinheiro, prestígio e poder, seriam os únicos opressores numa sociedade, portanto os alvos certos de qualquer ação libertadora dos oprimidos.

Mas as teorias derivadas do pós–estruturalismo estipulam que todos podem ser opressores de todos. A sociedade passa a ser dividida de acordo com grupos de oprimidos, que são as "minorias". Todos os que não defendem o que se convencionar chamar de direitos das minorias são opressores, mesmo se forem representantes das minorias.

Isso tem uma vantagem enorme para essa elite, a que reza a cartilha do identitarismo. Se ela verbalizar defesas veementes das minorias, passa de opressora a aliada. Dessa forma, não é mais alvo e nem precisa mudar a rotina ou abrir mão de privilégios.

A questão central deixa de ser a luta de classes, que tem foco na objetividade, racionalidade e estrutura social, para ser a questão identitária. No mundo real, existem as duas. No identitarismo, as questões objetivas nem existem.

Seria algo considerado delirante se fosse defendido pelas minorias. Ocorre que, quando a defesa da ideia é feita pelos que têm posições garantidas de privilégio de dinheiro, prestígio e poder, o impacto na sociedade é diferente. São pessoas que têm força para dobrar a realidade e fazer valer suas vontades.

A primeira causa a ser sequestrada pelo identitarismo é a luta contra o racismo. O racismo existe, está presente em praticamente todas as sociedades humanas, senão em todas. É uma violação ao princípio da dignidade e das liberdades individuais.

Ocorre que esses conceitos são iluministas, subordinados à lógica da razão em que as instituições e estruturas de poder estabelecido podem combater ou perpetuar o racismo.

Nessa lógica, racismo é objetivamente a rejeição de uma pessoa ou grupo com base na etnia e na generalização das características étnicas.

A forma de combate do racismo, nesse raciocínio, é fazer com que ele seja subordinado ao conceito de que a dignidade humana é universal e inegociável. Quando as instituições instituem normas para garantir que todos sejam iguais, o racismo deixa de ser regra.

Esse foi o princípio de todos os movimentos que conseguiram abolir a chaga da escravidão. Também foi o coração do movimento pelos direitos civis, que venceu a segregação racial oficializada em países como Estados Unidos e África do Sul.

"Ou aprendemos a viver juntos como irmãos ou pereceremos como idiotas", defendia o reverendo Martin Luther King Jr. (1929 1968). Em seu discurso mais famoso, ele dizia almejar uma sociedade em que seus filhos fossem julgados pelo valor de seu caráter, não pela cor da pele.

Na vida real, foi um dos movimentos mais significativos de combate ao racismo na história. Obviamente não eliminou chagas que a humanidade carrega há milênios. A ideia de igualdade, embora esteja presente na filosofia judaico–cristã, só foi realmente colocada no papel e assinada por governos de todo o mundo há menos de cem anos, na Declaração Universal dos Direitos Humanos.

Esses métodos, ancorados nos princípios iluministas, são rechaçados pelo identitarismo, que bebe das teorias pós–estruturalistas. Combater o racismo não seria tarefa coletiva, mas individual. O comportamento individual antirracista ou a desconstrução individual do racismo internalizado seria a solução.

O racismo em si é visto pelo identitarismo como uma estrutura social, o tal racismo estrutural. Dessa forma, ele deixa de ser o julgamento nefasto sobre toda uma etnia e redução das personalidades individuais a uma única identidade de grupo. Só é possível existir se for dos indivíduos que já têm poder contra quem não tem.

Por isso você vê pessoas razoáveis defendendo que a única forma de racismo é o racismo estrutural, o de brancos contra negros. Somente quem tem poder – os brancos – poderia praticar racismo. Ainda que exista racismo vindo de quem não tem poder, ele não teria força suficiente para excluir outras pessoas.

Na realidade, há uma multiplicidade incrível de formas de racismo, cada uma com consequências diferentes. Obviamente o que é ditado por grupos com poder tem muito mais força do que os consensos do grupo que não tem.

Mas aí há uma mistura de questões. O identitarismo tende a obrigatoriamente considerar que todas as pessoas negras são oprimidas e todas as pessoas que não são negras são opressoras. Isso independe da realidade, da história pessoal ou das ações de cada um.

Quando uma pessoa não é negra, ela desfruta do privilégio branco. Isso elimina muitas nuances presentes em sociedades que já saíram da realidade da segregação racial. Mas, como explico adiante, é uma forma inteligente de manter o privilégio de quem já tem poder e não quer abrir espaço.

Ignorar a objetividade, racionalidade e realidade é uma característica intrínseca do identitarismo. Chega a ser irônico e tem consequências práticas que se proponha como combate à opressão exatamente as mesmas práticas dos opressores.

Começando com a questão racial, a abordagem trata todas as pessoas negras como uma massa amorfa que sofre as mesmas dores da mesma forma e entenderá como benéfica o mesmo tipo de reação.

Negar a individualidade e colocar todos os indivíduos num balaio só é justamente a prática da segregação racial. Difícil entender como fazer isso superaria preconceitos raciais. E, como temos visto, não supera.

É, no entanto, uma fonte inesgotável de *marketing* para grandes empresas e mercados que vivem de segregação. Dois grandes exemplos são moda e Fórmula 1.

Falamos de mercados fundados na exclusão e na noção de exclusividade. Quando se adiciona o tempero moral ao caldeirão dos consumidores, temos a culpa burguesa. A pessoa gosta de fazer parte daquela elite mas também quer o reconhecimento social da bondade e da virtude. Ocorre que são incompatíveis.

Com o identitarismo, deixam de ser. Aqueles que vivem e desfrutam dos mercados, produtos e eventos mais excludentes do mundo podem se livrar da culpa burguesa e posar de virtuosos. Basta defender os oprimidos atacando opressores.

Um exemplo prático é a entrevista de Nelson Piquet sobre Lewis Hamilton em 2021, um *case* de racismo. Ele chama todos os outros pilotos pelo nome no vídeo todo, mas Hamilton é "o neguinho".

O mais curioso é que o jornalista nem se abala. Segue com a entrevista como se nada tivesse ocorrido mesmo depois de várias referências ao "neguinho". É um meio racista por excelência, ninguém se importa.

Vi diversos colegas jornalistas escrevendo artigos indignados sobre Nelson Piquet. Um deles, em outra era geológica, costumava chamar Celso Pitta (1946–2009) de macaco, ao vivo, em uma grande emissora de rádio conservadora.

Também não é um ambiente que veja problema em racismo, mas o comportamento foi tão aberrante que os chefes conservadores ensinaram ao agora justiceiro social de teclado a gravidade de chamar pessoas negras de "macacos" quando discordamos delas.

Eu sinceramente espero que tenha havido uma grande reformulação humana e espiritual na pessoa em questão e que tenha deixado de ser racista. Também espero que o mesmo tenha ocorrido com a Fórmula 1, ofendidíssima pelas declarações de Nelson Piquet.

O fato é que Lewis Hamilton é o único piloto negro em 72 anos de Fórmula 1. Algum desavisado poderia pensar que são racistas. Não são, já que fizeram notas de repúdio contra Nelson Piquet meses depois que o vídeo dele não incomodou ninguém no meio em si. Virou escândalo só quando saiu do nicho.

A melhor nota de repúdio foi assinada em conjunto pela Mercedes–Petronas. Ia bem até o segundo parágrafo, onde repudiava o tipo de tratamento que o ex–piloto dava ao maior campeão de Fórmula 1 de todos os tempos.

Mas, no terceiro, não resistiram ao identitarismo. A nota diz que as duas empresas trabalham por um automobilismo inclusivo, o que é um suco de deboche. Difícil pensar em um ambiente mais exclusivo que a Fórmula 1.

Cereja do bolo é a assinatura da Petronas na nota sobre inclusão. Ela é a estatal que controla todo o sistema de óleo e gás da Malásia, parte do governo. No país, homossexualidade é crime punido com 20 anos de prisão.

Use o identitarismo e veja a mágica acontecer. Você pode ganhar dinheiro de quem trancafia homossexuais na cadeia por serem o que são mas se dizer indignado com discriminação. É um dos produtos de maior luxo, o luxo psicológico.

Outro mercado em que as pessoas negras têm sido usadas como mercadorias para garantir o luxo psicológico das elites urbanas é a moda. No *e–book* que lancei em 2021, analisei as duas últimas edições da revista *Vogue* e da revista *Raça*, a primeira do Brasil voltada exclusivamente para o público negro.

Adivinha em qual das duas havia mais declarações moralistas como se fossem militância? Na *Vogue*. Moralismo serve para aplacar a culpa burguesa e convencer pessoas excludentes de que são exclusivas. Não serve para fomentar inclusão.

Para se ter ideia da diferença, cito a abordagem da revista *Raça* sobre beleza. É algo que demonstra claramente que ainda precisamos superar preconceitos raciais. A revista traz dicas de produtos de cabelo e maquiagem para mulheres negras.

Quais são as marcas, os melhores tons de base, como fazer um efeito com sombra. Por mais bizarro e antimercadológico que seja, isso não está nas outras revistas, nem nas que fazem editoriais lacradores.

Já na *Vogue* você não verá serviços que atendam o público negro semelhantes àqueles feitos para o público branco. Pessoas negras serão servidas numa bandeja para que os consumidores da revista, de lógica exclusiva, aplaquem sua culpa burguesa.

Na edição que eu analisei, por exemplo, havia uma longa reportagem sobre a Semana de Arte Moderna de 2022. A *Vogue* só falou sobre como faltavam negros, não deu informações sobre o tema e muito menos contextualizou a sociedade da época ou mostrou os negros que participaram.

O esforço é voltado para abastecer um público de um mercado elitista e exclusivo com argumentos para conforto psicológico. É a autoajuda disfarçada de militância, que une grupos apaixonados.

Além da vantagem do luxo supremo de aplacar culpas, o identitarismo ainda traz outra, a de não perder o posto na elite. Ao se intitular "antirracista", esses consumidores podem começar a se posicionar como *gatekeepers* da inclusão.

Eles não são pessoas privilegiadas porque são brancas ou porque têm dinheiro, prestígio e poder. Passam a ser aliados na luta pela inclusão. E isso significa permanecer na posição de poder e indicar oprimidos para vagas ou trabalhos. Desde que eles concordem totalmente com a pauta ideológica, claro.

Depois do racismo, outro movimento a ser cooptado pela demanda de alívio da culpa burguesa é o feminismo. O último foi a luta contra a gordofobia.

O mais disruptivo, no entanto, vem com o *revival* da Teoria Queer. O expoente mais conhecido dos brasileiros é Judith Butler. Grosso modo, o sexo biológico não é definidor do gênero, apenas a cultura e sentimentos individuais.

Espero ter dado a você condições de compreender como se chega a este raciocínio. E, sobretudo, que entenda por que é um erro rebater com o extremo oposto, dizendo que não existem pessoas trans, por exemplo.

Tratamos aqui de duas simplificações grosseiras, que ignoram as inúmeras nuances biológicas, culturais e comportamentais envolvidas em como os gêneros são determinados.

Sexo é, ao mesmo tempo, uma das maiores atrações e maiores desafios para a alma humana. Obviamente dizer que compreende plenamente a questão de sexualidade e gênero é um ativo importante para a elite identitarista.

Por isso o pacote de teorias críticas de Judith Butler e outros pensadores é tão idolatrado. Essa elite urbana finge que são estudos científicos ou nem sabe a diferença entre teorias críticas e explicação de fenômenos. De qualquer forma, começa a repetir os clichês feito papagaio, mas tendo uma sensação de superioridade intelectual.

O mais curioso é que essas teorias começaram a ficar famosas no Brasil com a popularização das redes sociais, na virada de 2010. Foi justamente nesse ano que um documentário norueguês derrubou completamente a pseudociência por trás desses teóricos.

Hjernevask (Lavagem Cerebral) pode ser encontrado de graça e legendado em português no YouTube. São sete episódios em que o comediante e cientista social Harald Eia entrevista uma série de cientistas que desbancam a pseudociência por trás do identitarismo como um todo.

Os episódios são os seguintes:

1. "O paradoxo da igualdade de gênero", que investiga se homens e mulheres têm ou não diferenças comportamentais inatas;

2. "O efeito parental", que verifica qual é exatamente a interferência dos pais no comportamento dos filhos;

3. "*Gay*/hétero é uma investigação sobre orientação sexual", se ela é inata ou se o ambiente influencia;

4. "Violência" verifica se realmente algumas culturas são mais violentas que outras ou se depende do indivíduo;

5. "Sexo" verifica dados científicos sobre a tendência masculina de querer mais envolvimento sexual sem compromisso;

6. "Raça" investiga se há diferenças genéticas importantes entre as etnias humanas;

7. "Natureza ou Ambiente?", é o episódio de encerramento, trazendo estudos sobre comportamento que revelam o quanto somos influenciados e o quanto repetimos padrões biológicos.

A lista de entrevistados do documentário é repleta de grandes estrelas da ciência, como Steven Pinker, Simon Baron–Cohen, Richard Lippa, Anne Campbell, David M. Buss, Robert Plomin, Charles Murray, Gregory Cochran, Judith Rich Harris e Richard Nisbett.

Também foram entrevistados diversos pseudocientistas ligados ao identitarismo, muitos deles empregados no que então era novidade, centros de estudos de gênero.

O momento mais icônico da série é quando Harald Eia pergunta à diretora do mais famoso centro público de "estudos de gênero" financiado por países nórdicos quais suas bases científicas. Faço questão de reproduzir o diálogo.

> – Qual é a sua base científica para dizer que a biologia não tem influência nenhuma nas decisões de trabalho dos dois gêneros?
>
> – Minha base científica? Eu tenho o que você chamaria de uma base teórica. Não há espaço em biologia aí para mim.

Depois que o documentário foi ao ar, o Conselho Nórdico de Ministros decidiu fechar o NIKK, *Nordisk information för kunskap om kön*. O centro era mantido pelos governos da Suécia, Finlândia, Noruega, Dinamarca e Islândia.

Isso aconteceu em setembro de 2012. Por que dez anos depois ainda essa informação não chegou por aqui? Talvez essas teorias tenham um uso mercadológico tão estratégico e tão frenético que a verdade tenha perdido o sentido.

CAPÍTULO 2

A CULTURA DO CANCELAMENTO

O termo "cultura do cancelamento" está em disputa nas sociedades mais polarizadas. Para alguns, é uma falácia. Diante da indignação justa das pessoas, quem fez algo errado estaria reclamando sem razão. Para o polo oposto, é uma grande conspiração para calar a todos.

Infelizmente é algo bem mais complexo. Fosse tão simplista, seria fácil resolver e fazer com que parasse de esgarçar o tecido social.

O identitarismo tem uma vulnerabilidade estrutural em seus fundamentos, eles não fazem parte do mundo real e foram já desbancados por centenas de estudos científicos.

Há uma forma retórica muito eficiente de contornar essa situação incômoda, que é apelar ao moralismo e sempre se colocar contra algo, não na construção de algo. É muito mais fácil dizer o que não queremos do que o que desejamos.

Voltando ao exemplo anterior, você pode se dizer antirracista porque condenou a fala de Nelson Piquet sobre Lewis Hamilton. A condenação é acertada, mas não elimina o fato de que o próprio Hamilton vive num dos ambientes mais racistas e machistas do planeta, mas nada além de notas de repúdio será feito.

Alguns gostam de entreter a imaginação com a ideia de que o plano do piloto é exatamente este, o de implodir por dentro esse sistema cruel. Pode ser que sim e pode ser que não. O fato é que não se pode exigir isso de um ser humano.

Suponhamos que ele, sozinho, resolvesse se rebelar contra cada ato racista que tivesse visto dentro do ambiente da Fórmula 1 desde a primeira vez em que teve contato com ele. Não teríamos um Lewis Hamilton. As mudanças são mais complexas que batalhas simbólicas em redes sociais.

Só que isso não importa. A partir do momento em que existe um alvo a ser apontado e imolado em praça pública, todos os que participam desse esporte ficam automaticamente imunes à acusação.

É muito dolorido pensar que nós racionalmente consideramos que preconceitos são abjetos mas temos todos eles na alma. Melhor pensar que, como eu xinguei tal personalidade ou boicotei uma marca, isso tudo saiu da minha alma.

Há ainda um outro ponto de indulgência quase irresistível. Ao usar a lógica de que você limpa a própria alma se posicionando contra o mal, você pode passar dos limites com alguém que já odeia. Basta arrumar a desculpa perfeita.

Muito provavelmente você já passou pela experiência que eu vou descrever. Entrou numa rede social e viu todo mundo irado pedindo a cabeça de alguém que é racista, homofóbico ou misógino. Daí você lê a postagem original e não acha tudo isso.

A gente começa a se questionar. Será que eu também sou assim, então não percebi o que tem de tão grave aí na postagem? Pode até ser, mas na maioria das vezes não é isso.

Quem já convive nesses grupos amalgamados pelo ataque em enxame sabe que pode inserir qualquer desafeto como alvo, mesmo sem ter motivo. É a luxúria psicológica máxima que poder ser profundamente mau com quem você odeia e ainda ter uma justificativa moral virtuosa apoiada pelo grupo.

Como diferenciar o embate político do cancelamento? Às vezes parece uma linha borrada ou confundimos as duas coisas.

Ocorre que são profundamente diferentes, diria até opostas. O cancelamento é antipolítica, não a política. Ainda que utilize justificativas morais repetindo conceitos políticos, não é a prática de convencimento e criação de pontes.

Ao separar o que é embate político do que é cancelamento, você consegue visualizar nitidamente a diferença entre identitarismo e militância identitária. Trago aqui 10 fatores para sua atenção:

1. Política x Antipolítica

Todo embate político precisa deixar pontes para uma saída honrosa do adversário, já que o objetivo é o convencimento. A antipolítica consiste na queima de pontes, execração pública e corte de qualquer contato utilizando justificativas morais.

Na antipolítica, o divergente é necessariamente mau e a única forma de lidar com ele é a aniquilação.

O maior expoente da antipolítica do identitarismo de elite no Brasil talvez seja o Sleeping Giants, que conta com amplo apoio do mercado publicitário. Opera segundo a lógica de aniquilação, não de convencimento. Utiliza um discurso passivo–agressivo para pressionar conglomerados a cancelar pessoas, tirar seus empregos e viabilidade econômica. É um método comum no público–alvo do perfil, utilizado por vários *influencers*;

2. Conexão com a realidade x Universo paralelo

Toda pauta identitária tem conexão com a realidade, concorde você ou não com a pauta em questão.

Um exemplo clássico é o do casamento entre pessoas do mesmo sexo, legalizado no Brasil pelo STF. Alguns juristas argumentam que, diante da Constituição, é impossível. Em 1988 se colocou que o casamento é entre homem e mulher. Não são apenas conservadores que dizem isso.

A ex–corregedora do CNJ, ministra Eliana Calmon, já fez vários alertas sobre isso. Reescrever a Constituição, neste caso, garantiu direitos. E nos outros?

Diante do questionamento, militantes identitários vão propor outros mecanismos que cheguem ao desfecho pretendido por eles, que é algo de ordem prática. Quando duas pessoas do mesmo sexo decidem formar uma família, devem ter os mesmos direitos que heterossexuais têm no casamento.

O identitarismo vai ter outro método, o de classificar publicamente de homofóbico qualquer um que fizer qualquer questionamento.

Então serão juntadas hordas virtuais de pessoas que se julgam intrinsecamente boas para tentar levar consequências reais a quem eles julgam ser homofóbico.

Muito provavelmente não vai adiantar nada para os direitos das pessoas homossexuais, mas isso não importa nem é o objetivo. Os objetivos serão alcançados: manter o grupo unido e com a certeza de ser intrinsecamente bom;

3. *Inclusão medida por foto*

Em 2020, uma foto de uma área do Nubank tinha só homens brancos. O Ministério Público ajuizou uma ação por racismo reivindicando R$ 10 milhões de danos morais e coletivos. A tese é de que o banco deve indenizar a sociedade pelos danos que causa ao não combater o racismo estrutural. Segundo o Ministério Público, isso está evidente na foto, onde quase todos são brancos.

A primeira vez que eu ouvi alguém falar para uma plateia de liberais que diversidade é necessária porque dá lucro veio da boca de Cristina Junqueira, fundadora do Nubank. Foi a primeira grande empresa brasileira a demonstrar na prática por que um quadro diverso é necessário. Não se trata de caridade, justiça social ou bondade, mas de eficiência e lucro.

Banco não é ONG, serve para dar lucro. Ao mostrar que a diversidade significa atender melhor o público de um mundo que efetivamente passou a incluir mais pessoas no sistema bancário, Cristina Junqueira fazia com que o tema da inclusão deixasse de ser perfumaria ou ação social para estar no coração do negócio.

Anos depois dessa prática já consolidada, ela disse em uma entrevista que tinha dificuldade de encontrar pessoas negras para determinadas posições.

É verdade, infelizmente. Historicamente damos menos oportunidades às pessoas negras e esse quadro começou a ser revertido há muito pouco tempo. Precisamos ir além.

Obviamente a patota do identitarismo viu aí uma oportunidade sensacional de mercado. Cristina Junqueira virou racista por essa fala, já que as ações e a realidade não importam, apenas a forma como uma fala foi distorcida no grupo.

O Nubank saiu pedindo desculpas públicas, todo seu protagonismo na inclusão sustentável virou nada, os militantes identitaristas de publicidade posaram de professores do banco e, finalmente, os *trolls* de internet ganharam até lugar no conselho.

A ação do Ministério Público falando que a foto coalhada de brancos significa racismo não prosperou. Houve um acordo. Segundo o Relatório de Levantamento Estatístico do Censo Racial de Membros e Servidores do MP–SP, 93% dos membros da instituição são brancos. Obviamente isso não significa que o Ministério Público seja racista, já que ele alega selecionar por mérito. Estranhamente, ele processa por racismo quem também alega selecionar por mérito e termina com resultados parecidos;

4. *Nós x Eles*

O identitarismo é muito semelhante ao ambiente de seita ou de culto religioso alternativo. Tem suas palavras próprias, que servem para identificar os "de dentro" e os "de fora", a retórica passivo–agressiva para desqualificar quem não é do grupo e a crença profunda de que se trata de um agrupamento intrinsecamente bom lutando contra a representação do mal.

Essa característica do "nós x eles" também é muito explorada por populistas. Mesmo que os populistas sejam a máxima representação do poder político autoritário, eles utilizam a ginástica de discurso para se colocar como únicos representantes legítimos do povo.

No identitarismo ocorre algo parecido. É uma seita que faz muito sucesso principalmente entre as elites urbanas, que padecem da culpa burguesa. Purgar a culpa burguesa exigiria abrir mão de privilégios, o que representa um incômodo absurdo. Daí a solução perfeita apresentada pelo identitarismo, uma mimetização da relação do populista.

As elites econômicas são as responsáveis pelo sistema que oprime minorias e vivem dele, sem intenção nenhuma de mudar. Utilizando recursos retóricos em que se declaram pela inclusão, antirracistas, racistas em desconstrução ou qualquer outro clichê, fingem não ser mais o problema para ser parte da solução. Estão "do lado certo".

A solução seria uma mudança da estrutura econômica e social, não uma conscientização individual ou sinalização de virtude. Mas essa ginástica retórica permite ao identitarismo o alívio da culpa burguesa sem ter de abrir mão de nada. Por isso, esses grupos sempre falarão numa lógica de nós contra eles, não raramente verbalizando "nós" e "eles" sem que haja realmente grupos definidos de pessoas;

5. *Relativização do princípio da boa-fé*

O princípio da boa-fé é a base necessária para qualquer conversa entre dois seres humanos, já que são únicos e necessariamente diferentes entre si. É preciso compreender o que diz o outro e se fazer compreender, processo que não é automático nem tão simples.

Presumir que o outro fala de boa-fé e, ao mesmo tempo, se expressar com boa-fé é o resumo desse princípio essencial para todo debate social e político.

No identitarismo, ele é relativizado. Se você faz parte do grupo identitarista, você pode receber o *free pass* progressista José de Abreu. Mesmo que você cuspa no rosto de uma mulher, jamais você será machista, porque você defende o Lula e, portanto, isso é ser igualitário e em defesa das mulheres.

Se você não for do grupo, tudo o que disser será reinterpretado da pior forma possível para que você seja visto como a reencarnação do mal. Sua fala será usada numa espécie de esporte que energiza a massa identitarista nos ataques contra você.

A experiência mais bizarra que já ouvi foi ouvida pelo meu amigo Leonardo Lopes, empresário e historiador de formação. Ele resolveu fazer uma pergunta por curiosidade nas redes sociais, algo do tipo: "ouvi dizer que a moçada não se interessa mais por dirigir e tirar carta. Confere?".

Recebeu até ameaças de morte. Por quê? Como ele não é do clube identitarista, isso foi lido como elitista e insensível com a opressão do Detran sobre os jovens, uma pessoa alienada, contra o meio ambiente, alheia à economia do compartilhamento que preserva o planeta. Diversas pessoas com perfis verificados participaram do espetáculo bizarro;

6. *Relativização do respeito a regras e instituições*

Grupos identitaristas não são capazes de dizer se um ato é certo ou errado nem se uma instituição deve ou não ser respeitada. Tudo é fluido e relativo para o identitarismo, depende do quanto serve ou não à causa.

Vamos a uma questão simples: pregar agressão física de adversários políticos é certo ou errado? Muito provavelmente você dirá que é errado e os grupos identitaristas dirão a mesma coisa.

Suponha agora que esse adversário é Fernando Holiday, político do partido Novo que já foi do MBL. Pode bater? Daí, segundo o identitarismo, pode sim. Inclusive foi feito num evento na Unicamp em junho de 2022. Diversos perfis verificados, inclusive de jornalistas, defenderam a atitude.

E pode pregar abertamente a aniquilação física de adversários políticos ou é fascismo? Também depende. Há uma ala do Partido Comunista Brasileiro, a União da Juventude Comunista, que faz abertamente essa pregação nas redes sociais.

É um movimento muito semelhante ao retratado no filme de ficção polonês *Hejter*, disponível na Netflix. O grupo crê praticar justiça social e treina, por meio de *games*, como transformar prática política em agressão física. Até que, na ficção, eles realmente realizam a agressão física e matam alguém.

Por aqui, até o momento, esse grupo específico não está envolvido nos diversos episódios trágicos da política. Esperamos que continuem assim. No entanto, já conseguiram lançar até candidato a governador;

7. *Utilização de justificativas morais para membros do grupo*

O apelo moralista é o centro da visão de mundo dos grupos radicais. Quando falamos em moralismo, logo se pensa numa pauta de costumes ou em conservadorismo. Aqui falo de algo diferente, da criação de um sistema próprio de código moral que justifica todo tipo de atitude condenável contra quem é de fora do grupo.

O exemplo que parece mais fácil de apontar é o caso da deputada Tabata Amaral, muito mais atacada pelo identitarismo do que qualquer deputado bolsonarista que questione frontalmente a legitimidade das políticas identitárias, coisa que ela jamais fez.

Às vezes parece que o Congresso Nacional tem uma única cadeira, ocupada por ela. Quando os progressistas discordam de um voto, alegam que estão fazendo críticas legítimas.

Reproduzo algumas:

Um *meme* mostra uma mulher de short jeans e camisa branca num palco segurando um megafone em que diz: "Meretriz, cadela, cortesã, rameira, puta, mulher da vida, baixa, piranha, messalina, garota de programa, porca, vulgar, marafona, concubina, rapariga, dama da noite". Legenda: *anyway*, Tabata Amaral vagabunda.

"Eu te odeio Tabata Amaral sua leprosa maldita piranha infeliz vagabunda sem noção liberal verme lambisgoia horrorosa fascista imbecil burra tapada cínica dissimulada ariranha mercenária ordinária filha da puta cuzona nojenta babaca meliante indigna detestável impopular estupid" *[sic]*.

"acordei com macho nas minhas replies querendo criticar minha 'sororidade feminina' pq eu chamei a juliana paes de vagabunda, imagina se ele lesse o que eu falo sobre a tabata amaral" *[sic]*.

"e pensar que foi a PUTA vagabunda da tabata amaral que prorrogou o sisu" *[sic]*.

Quando essas pessoas são questionadas sobre o evidente sexismo nas afirmações, realmente não entendem que são misóginas, porque com a Tabata Amaral pode.

Na cabeça dessas pessoas, quem não está 100% alinhado a pautas de esquerda (na cultura VIP identitarista é idolatrar o Lula, ter a toalha do Lula, coisas do gênero), automaticamente é contra as mulheres.

Então é moralmente justificável agir dessa maneira e não é nem machismo nem misoginia porque, ao ficar contra o que se considera a única alternativa viável para a sobrevivência das mulheres, a deputada Tabata Amaral já é contra as mulheres.

Assim, justificam-se moralmente ações notadamente misóginas, mas feitas contra a misoginia;

8. *Evidências fáticas não desfazem as crenças do grupo*

No ambiente de polarização política, você provavelmente já teve a experiência de esfregar uma verdade objetiva e comprovada na cara de alguém que acreditou em mentira e a pessoa encontrar uma desculpa para continuar com a mentira.

No identitarismo também ocorre da mesma forma. Um dos axiomas desse movimento é a crendice de que evitar microagressões criando ambientes seguros é a única forma de promover uma sociedade saudável e mais inclusiva.

Não bastasse todo o ramo da psicologia cognitivo-comportamental para demonstrar que a teoria é furada, há uma infinidade de pesquisas novas que desmontam a tese defendida de forma quase religiosa.

Nesses grupos, é normal alguém dizer algo e ser completamente ignorado. Outra pessoa entra no assunto apenas para corrigir uma palavra usada, alegando que foi ofensiva para determinado grupo minoritário. Isso precisa ser feito, segundo a crendice do identitarismo, para manter o ambiente saudável.

Por exemplo: "Meninas, estou completamente arrasada. Meu agora ex pegou meu celular sem minha permissão no criado–mudo, encanou com uma mensagem do trabalho, deu um escândalo e quase me bateu. Me empurrou, pegou pelo cabelo. Foi horrível, jamais imaginei. Cinco anos pelo ralo. Arrasada. Sem palavras".

Resposta: "Sinto muito pelo que passou, mas sabemos que criado–mudo é uma palavra racista. Você não deveria reproduzir racismo".

A etiqueta da seita manda que a pessoa interpelada agradeça a correção e passe a falar da forma como foi instruída, mesmo que não faça nenhum sentido. Pode ainda ser hostilizada por outros, que se dirão agredidos.

Terá de se desculpar.

Evitar o trauma não é a melhor forma de vencê–lo. Aprender a fazer com que ele não mais atinja o íntimo para colocar no lugar quem ataca de caso pensado é o que pratica a terapia cognitivo–comportamental.

O livro *The Coddling of The American Mind*, de Jonathan Haidt e Greg Lukianoff, mostra que as gerações criadas nos *"safe spaces"* têm cerca de 30% mais problemas de saúde mental que as anteriores, principalmente depressão e ansiedade.

O custo mental da criação do *"safe space"* é muito maior que o de sofrer uma agressão. Na lógica do identitarismo, você pode virar alvo dos seus próprios amigos e ser excluído do seu grupo em um instante por errar uma palavra, sem ter nenhuma intenção.

Por mais que esses dados estejam disponíveis, a prática de corrigir os outros em público ainda é aceita;

9. *"Óculos de identidade": as lentes para escolher o que ver*

Em 2019, a Comissão de Direitos Humanos da Seção São Paulo da Ordem dos Advogados do Brasil foi ao Ministério Público Federal pedir que a página de política via *memes* violentos "Editora Humanas" deixasse de existir nas redes sociais.

Segundo a OAB, a página veiculava "conteúdo de apologia à tortura e à violência, bem como de promoção do racismo e de campanha contra o feminismo". Era realmente verdade e, como vocês verão no capítulo "Ideias Infecciosas", confundir esse tipo de conteúdo com humor é algo cada vez mais comum na política.

A curiosidade é saber por que a OAB só enxerga nessa página o tipo de conteúdo referido se há casos muito mais explícitos e rumorosos diante dos quais houve um silêncio mais que eloquente.

O professor de filosofia Paulo Ghiraldelli publicou, em 2013, o seguinte sobre a jornalista Rachel Sheherazade: "VOTOS PARA 2014 – que a Rachel Sheherazade abrace bem forte, depois de ser estuprada, um tamanduá". Depois ele disse que a conta tinha sido invadida e não foi ele quem escreveu. Ela levou o caso às autoridades. Mas a OAB e os ativistas de sempre não se meteram.

Qual é o mecanismo que faz o mesmo grupo enxergar com clareza uma coisa quando ocorre contra determinadas pessoas e não enxergar nada quando ocorre contra outras? O mesmo que faz isso com todos nós, uma espécie de "óculos de identidade social".

Temos a tendência de ver todas as situações de acordo com o grupo a que pertencemos. Quando os militantes identitaristas da OAB veem a página "Editora Humanas" fazendo uma mimetização de humor com outros militantes identitaristas, compreendem perfeitamente a situação de violência.

Por outro lado, quando veem um militante identitarista perpetrar a violência não imaginam que isso seja possível, já que ele é feminista. Se atacou Rachel Sheherazade, ela deve ter feito alguma coisa para merecer, segundo esse raciocínio.

Como superar isso? Sabendo que não é possível superar, é uma característica humana. Ao ter consciência de que nosso julgamento tende a ser esse, temos a opção racional de analisar novamente a situação para tomar decisões melhores;

10. *Criação de vocabulário próprio e utilização de hipérboles*

Toda seita tem vocabulário próprio. Com o identitarismo não é diferente. Não existe mãe solteira, é mãe solo. O conceito de racismo foi mudado para apenas racismo estrutural, de onde se cria uma luta imaginária contra o tal do "racismo reverso", que só existe na lenda identitarista. Em todo texto, é preciso inserir palavras como "patriarcado" ou "branquitude" para que os demais membros da seita percebam que se trata de um iniciado.

Haverá explicações aparentemente racionais para a utilização do vocabulário próprio. Mãe solo é porque define a condição de quem é a única pessoa responsável por um filho, você pode ser casada e ser a única responsável por um filho de outro relacionamento. Também pode ser solteira e dividir a responsabilidade do filho com o pai.

É uma expressão mais precisa e que faz sentido, só que sempre será utilizada para exclusão e sinalização de quem faz ou não parte do grupo identitarista. É um teste que faço sempre. Como sou mãe solo, digo que sou mãe solteira, o que também sou. Se houver pessoas dispostas a me ensinar qual é a minha própria condição, já sei que se trata de uma seita, não de um debate sobre a realidade ou sobre o tema em questão.

O termo utilizado mostra ao grupo como ele deve agir com relação à pessoa. Se ela não utilizar o vocabulário dos iniciados, deve ser transformada em alvo numa competição que é como uma corrida de cavalos de poder social. Caso a pessoa se agache e peça desculpas pelo que não fez, ponto para o grupo. Talvez até mais uma adepta do ambiente tóxico da seita. Caso a pessoa não se agache, precisa ser execrada.

Esse processo de execração pública tem duas utilidades. A primeira é servir de exemplo para que outras pessoas jamais contestem ninguém do grupo. A segunda é para energizar o grupo.

A energização pode vir acompanhada de um sentido à existência vazia de quem imagina que isso seja ativismo. Daí a necessidade de hipérboles. O outro não errou ou desconhecia um termo. É uma pessoa misógina, machista e cúmplice do patriarcado porque disse a expressão "mãe solteira".

Ao xingar essa mulher ou dizer que ela deve "se educar", o grupo tem a sensação de matar o machismo a cada caractere que tecla. É uma emoção sublime para quem vive desconectado da realidade. Por isso o cancelamento é necessário, para alimentar almas vazias.

a. Comportamentos tóxicos

Você provavelmente já ouviu falar por aí de "positividade tóxica", aquele movimento que prega tapar o sol com uma peneira de sorrisos e seguir em frente como se os sofrimentos e a tristeza não fossem também partes da vida.

A seita do identitarismo tende a formar grupos altamente tóxicos, já que todos precisam se convencer de que são intrinsecamente bons e somente bons, então param de ter a disciplina para controlar o que há de mau dentro de si.

Isso ocorre em diversos grupos humanos e também é uma forma muito comum de autoengano. Falo do identitarismo porque esse grupo, cada vez mais agressivo e poderoso, é o meu foco neste livro.

O psicólogo e palestrante internacional Jonathan Shedler fez uma listagem com 16 tipos de comportamentos psicológicos que são típicos do nosso tempo, cada vez mais comuns em grupos de internet.

Segue a lista e creio que será muito útil não apenas para analisar o fenômeno do identitarismo, mas também para diversos outros grupos humanos.

1. *"SPLITTING"* – Ver os outros em categorias de branco e preto, sem tons intermediários. As pessoas passam a ter uma única dimensão. Ou são puramente boas ou são puramente más;

2. NEGAÇÃO – Recusa em tomar conhecimento ou aceitar a realidade quando ela não se encaixa em seus desejos e preferências;

3. CONTROLE ONIPOTENTE – Busca por controlar o comportamento, discurso e até pensamento dos outros. Insistir que os outros devem pensar o seu pensamento em vez do próprio;

4. DESVALORIZAÇÃO – Denegrir e repudiar algumas pessoas ou grupos e entender que elas têm menos valor e importância;

5. MASOQUISMO MORAL – Acreditar que seu sofrimento faz de você alguém melhor, mais virtuoso ou importante que as outras pessoas. Um exemplo é se sentir superior ou melhor que os outros com base em privações ou sacrifícios voluntários;

6. PROJEÇÃO – Não ter consciência dos próprios sentimentos e motivações inaceitáveis e indesejáveis. Exemplos comuns são ódio, inveja e rancor. Passar a, de forma errônea, começar a enxergar esses sentimentos somente nas outras pessoas;

7. TRANSFERÊNCIA – Responder a outra pessoa como se ela fosse alguém do seu passado. Um exemplo é passar a punir alguém com quem você se relaciona no presente por erros que outra pessoa cometeu com você no passado;

8. *"FALSE SELF"* – Um falso senso de identidade emprestado de outras pessoas, substituindo o autoconhecimento, exploração e desenvolvimento da própria personalidade;

9. ONIPOTÊNCIA – Acreditar e insistir que você tem poder sobre outras pessoas ou circunstâncias que você não controla. Insistir que seus desejos podem e devem se sobrepor à realidade objetiva;

10. EXTERNALIZAÇÃO – Culpar outras pessoas ou circunstâncias em vez de assumir a responsabilidade pela própria conduta e por escolhas pessoais;

11. FORMAÇÃO REATIVA – Mascarar sentimentos profundos e atitudes pelo método de expressar o oposto de forma exagerada. Um exemplo é expressar aprovação ou admiração exagerada sobre alguém que você considera inferior. Isso ocorre muito em grupos extremistas, onde todos são maravilhosos e arrasam;

12. INVEJA EXTREMA – Inveja destrutiva que leva você a querer destruir o que você não pode ter ou quem você não pode ser. A frase que descreve melhor a situação é: "se eu não posso ter isso, então eles não podem ter a permissão de existir";

13. REPETIÇÃO E ENCENAÇÃO – Quando algo que não queremos saber ou compreender sobre nós mesmos é representado com outros indefinidamente;

14. "*SPLITTING*" EXTERNO – Tratar as outras pessoas de forma que elas sejam direcionadas a se polarizar em campos diferentes, ou estão com você ou estão contra você;

15. DESLOCAMENTO – Mover sentimentos de uma pessoa ou situação para outra, que seja mais segura. Um exemplo clássico é atacar uma pessoa que não pode se defender em vez de uma que tenha condições de retaliar;

16. IDENTIFICAÇÃO PROJETIVA – Projetar em outras pessoas sentimentos e motivos não reconhecidos. Então, dar um passo além e se comportar de forma que provoque no outro os sentimentos que você projetou. Por exemplo, projetar que alguém é violento. Então, tratar a pessoa de uma forma tão ruim que ela realmente se torne violenta.

Ultimamente temos falado muito em polarização política mas, verdade seja dita, polarização sempre houve e é parte do ambiente político. Aliás, quem viveu a militância política na juventude sabe que polarizar é parte da alegria e também da nossa evolução na compreensão do ambiente político.

Definitivamente vivemos algo diferente, um fenômeno em que falar de política significa uma carga tóxica que tem afastado muita gente até do noticiário em si.

Pessoas adultas preferem ficar alheias a fatos e decisões que têm impacto sobre suas vidas de tão pesada que é a carga negativa que vem do ambiente político. Não é algo de fácil compreensão.

Muitas pessoas tentam – e eu sei porque já fiz isso – buscar fatos objetivos que nos expliquem o que mudou entre esse ambiente insuportável que vivemos hoje e outros momentos políticos.

Dá a impressão de que as pessoas simplesmente enlouqueceram ou perderam todos os limites civilizacionais e morais.

Muita gente também relaciona esse fenômeno ao advento das redes sociais e da nossa entrada nessa dinâmica de hipercomunicação. Por enquanto, tudo indica que é um raciocínio acertado. Não se trata de uma explicação simples, mas de um fator entre tantos outros.

Todos os anos eu tenho costume de ler o *Democracy Report* feito pelo V–Dem (Varieties of Democracy), instituto da Universidade de Gotemburgo, na Suécia.

Nós não aprendemos muito sobre democracia. Tendemos a acreditar que, se há eleições, há democracia. Não é um conceito tão simples assim. Por isso, é um trabalho interessante.

São centenas de especialistas em todos os países do mundo que analisam o desenvolvimento democrático levando em conta especificidades regionais de cultura, história, economia e comportamento.

O próprio levantamento diz que sua metodologia é o "estado da arte" em se tratando de democracia. Realmente é reconhecido assim na área. A abordagem é histórica, multidimensional, com atenção a nuances e feita de forma desagregada.

O que isso significa? Tentando simplificar, é algo bem mais profundo que as comparações superficiais que a gente costuma ver por aí. Você já deve ter ouvido que o Brasil é o pior país do mundo em algo. Mas a gente sabe que há diversos outros países em que aquilo é pior. Qual seria a base de comparação? Ninguém nunca sabe. Nesse relatório há essas medidas, a ponderação.

Por exemplo, você ouve falar que a democracia no Brasil está no pior estado de todos os países do mundo, que aqui tivemos a pior deterioração histórica. Temos problemas terríveis sim. Daí a gente pensa que existe o Talibã no Afeganistão. Tem comparação? Esse estudo consegue estabelecer essas medidas de forma ponderada, sem a interferência do moralismo e do apelo emocional.

Ele consegue enxergar, por exemplo, que há um retrocesso democrático no Brasil e nos Estados Unidos enquanto mostra um avanço no Uzbequistão no ano de 2021. Mas ele também mostra exatamente em que ponto da democracia cada país está, não dá a entender erroneamente que os uzbeques vivem de forma mais democrática.

O tema central do Democracy Report deste ano é a mudança de natureza dos processos de autocratização em todo o mundo. É por aí que eu vou chegar ao conceito de polarização tóxica, uma definição precisa que nos mostra exatamente o que existe de tão diferente no ambiente político agora.

A polarização política tradicional tem a ver com o conceito de polarização racional, que se opõe ao de polarização emocional. A racional é quando você decide fazer parte de um grupo, como um partido político, por acreditar que ele é o melhor.

Não quer dizer que ele seja perfeito nem que você concorde com tudo o que ele faz. Você opta por aquele grupo porque, diante das opções possíveis no momento, pesando prós e contras, você considera ser o caminho mais viável para um futuro melhor.

Obviamente esse grupo vai defender suas ideias e aproveitar todas as chances de provar que elas são melhores que as dos outros grupos. Se houver apenas dois grandes grupos, como acontece realmente em vários casos, haverá a polarização política como sempre conhecemos.

O inferno em que nos metemos vem de outro tipo de polarização, a polarização emocional, que gera no ambiente político o que o V–Dem chama de polarização tóxica.

A polarização emocional é aquela em que você não adere a um grupo, como um partido, por pensar que seja o melhor. Você tem horror absoluto a um grupo, partido ou figura política e, portanto, decide aderir de forma acrítica à força que considera mais capacitada para derrotar o que repudia.

Muita gente pode questionar qual é o problema disso. Não seria também democrático querer derrotar alguém? Claro que é, porém somos humanos e esse comportamento da polarização emocional tem consequências.

A polarização tóxica ultrapassa a defesa de ideias ou do grupo político. Ela passa a demonizar um grupo e a enxergar da pior forma possível tudo o que ele fizer. Esse processo desencadeia outro, o de relativizar excessos dentro do próprio grupo, que cada vez mais perde os limites civilizatórios.

As regras democráticas vão para o sacrifício já num primeiro momento. As liberdades individuais passam a ser questionáveis. Depois se relativiza o princípio da dignidade humana, que deixa de ser inegociável e inerente à condição humana para depender do grupo ao qual o indivíduo se vincula.

Basta uma justificativa moral no sentido de brigar contra um mal maior para se fechar os olhos para todo e qualquer tipo de perversidade empacotada com o discurso do grupo político.

> "A polarização tóxica e a autocratização tendem a se reforçar mutuamente. Níveis extremos de polarização têm efeitos prejudiciais sobre os fundamentos democráticos da sociedade. Quando a polarização se torna tóxica, campos diferentes normalmente começam a questionar a legitimidade moral de outros grupos, vendo a oposição como ameaça existencial a um modo de vida ou a uma nação.
>
> Pesquisas demonstram que cidadãos em contextos altamente polarizados muitas vezes estão dispostos a abandonar os princípios democráticos se isso significar que o próprio povo do seu campo seja eleito e que as decisões 'certas' sejam tomadas. Assim, níveis tóxicos de polarização contribuem para vitórias eleitorais de líderes antipluralistas e ao empoderamento de suas agendas.
>
> Quando os líderes antipluralistas assumem o cargo, seus partidos provavelmente usarão retórica que se destina a insultar, ofender ou intimidar membros de grupos específicos", diz o *Democracy Report 2022.*

Na polarização tradicional, a pessoa tem a convicção de que o grupo dela é o melhor. Ainda assim, reconhece o outro como legítimo, embora não considere que esteja certo ou tenha uma visão correta de mundo. A questão central é a da legitimidade e a da dignidade humana.

Quando esses conceitos, que são universais, começam a ser relativizados e questionados, a distorção democrática é inevitável. O conceito de democracia só é possível a partir do consenso sobre a dignidade humana.

A intimidação de grupos específicos é a corrosão democrática, mas, infelizmente, não será percebida dessa forma, pelo menos num primeiro momento. Esses grupos serão vistos como o mal e, portanto, quem está "do lado certo da história" seria obrigado a pisotear alguns princípios para evitar um mal maior.

De pisoteamento em pisoteamento, o mal há de chegar. É essa a fórmula mais atual pela qual são estabelecidas as autocracias. O avanço tecnológico que nos colocou na realidade da hiperinformação tem uma relação íntima com este cenário.

Antes das redes sociais, os governos tinham uma dinâmica diferente de relação com a circulação de informações. Dependiam da grande imprensa. Nos países democráticos, as relações podiam ser de liberdade ou de subordinação, às vezes muito tensas. Nos países autocráticos, a mídia é praticamente propaganda oficial.

No ambiente digital, temos uma abertura gigantesca para a criatividade política. Líderes autocráticos podem criar mídias que parecem independentes mas atendem a seus interesses. Elas acabam misturadas a mídias realmente independentes criadas por cidadãos.

A competição, infelizmente, não ocorre em paridade de armas. Temos a ilusão de que qualquer pessoa publica o que quiser numa rede social e segue quem quiser. Imaginamos que os usuários têm controle sobre aquilo que desejam consumir e sobre o alcance do que publicam.

O negócio das redes, no entanto, é essa intermediação. Além disso, existe agora o ambiente para que não seja conhecida a origem e a natureza do "veículo de comunicação", já que ele pode ser apenas um perfil na internet.

O debate sobre a legitimidade dos perfis anônimos, ancorado em casos específicos que ganham vulto, é acalentado à direita e à esquerda. A Constituição de 1988 é clara ao estabelecer que a expressão é livre, mas é vedado o anonimato. Essa regra é relativizada em torno de casos específicos, considerados prioritários pelos grupos políticos.

Por um lado, isso facilita bastante a vida de cidadãos independentes e de ativistas bem-intencionados que jamais furariam a barreira da triagem da imprensa tradicional. Por outro lado, isso é um campo fértil para que forças políticas com poder econômico mimetizem a estética dessas postagens para promover desinformação. Isso também tem ocorrido.

Pode parecer algo meio futurista ou de ficção científica, mas já é nossa realidade. A instituição de autocracias não é mais feita apenas de força militar, é também ancorada na desinformação via redes sociais. Estamos diante de uma máquina poderosa de convencimento de pessoas de paralisação de reações contrárias.

> "Este *Democracy Report* documenta vários sinais de que a autocratização está mudando de natureza. Com cinco golpes militares e um autogolpe, 2021 apresentou um aumento de golpes sem precedentes nas últimas duas décadas. Esses golpes contribuíram para impulsionar o aumento do número de autocracias fechadas. Eles também parecem sinalizar uma mudança dos atores encorajados, dado o declínio anterior nos golpes durante o século XXI. A polarização e a desinformação de governo também estão aumentando. Essas tendências estão interligadas. Públicos polarizados são mais propensos a demonizar oponentes políticos e a desconfiar de informações de diversas fontes, o resultado é uma mudança na mobilização social. O aumento da desinformação e da polarização sinaliza que pode haver uma mudança na natureza da autocratização no mundo. Discutimos essa mudança em detalhe na terceira parte do relatório: 'Autocratização Mudando a Natureza?'", diz o *Democracy Report 2022*.

Tendemos a ver a desinformação como disputa pela verdade, o que é um erro. Ela tem mais relação com a criação de dúvida sobre o que já é ponto pacífico. Um exemplo lapidar é a dignidade humana.

Num ambiente democrático, é ponto pacífico que a dignidade é inerente à condição humana e inegociável. A desinformação não tem como objetivo disputar essa verdade, estabelecer outra definição de dignidade. Ela pretende criar, apenas em casos específicos, a dúvida sobre a legitimidade da regra.

Quando você consegue, com sucesso, demonizar algum grupo ou um indivíduo, é possível plantar a semente da relativização, que vai se alastrar como uma erva daninha.

A força política que tiver sucesso em se colocar como a única qualificada para derrotar o grupo demonizado terá não apenas o apoio, mas um passe livre para fazer o que quiser. No caso concreto, para instaurar ditaduras sem precisar de tanques.

Há três pontos utilizados para medir os níveis de polarização tóxica em uma sociedade: discurso inflamado por parte dos partidos políticos, polarização da política e polarização da sociedade.

A polarização da sociedade aumenta a da política e vice-versa, são fenômenos que se retroalimentam e crescem à medida em que são regadas com discurso inflamado por parte dos partidos políticos. Nesse ambiente, regridem o respeito às liberdades individuais e a preservação da democracia.

O *Democracy Report 2022* mostra que este é o ano em que a democracia mundial regrediu décadas, para os mesmos níveis de 1989. Por outro lado, é curioso que poucas vezes ouvimos falar tanto de preservação da democracia e de iniciativas democráticas como agora.

O que está dando errado? Se cada vez mais pessoas estão preocupadas com a democracia e cada vez há mais iniciativas pela democracia, o natural seria uma evolução democrática. Ocorre que boas intenções e boa vontade não são suficientes, é necessário ciência e eficiência para que essas iniciativas tenham a consequência desejada.

> "Essa onda crescente de autocratização em todo o mundo destaca a necessidade de novas iniciativas para defender a democracia. Em 2021, surgiram várias iniciativas dessas, tanto na cúpula do poder quanto por uma infinidade de iniciativas importantes enraizadas na sociedade civil em todo o mundo. Mas o engajamento para proteger e promover a democracia

deve ser construído sobre ciência para que seja eficaz. Os fatos devem ir ao encontro de equívocos e mentiras sobre as virtudes e limitações da governança de regimes democráticos e autocráticos", diz o *Democracy Report 2022*.

A polarização tóxica fica muito clara quando falamos de política, mas vemos aqui que ela também inclui o fator da polarização social. Para uma ruptura social ou uma ruptura democrática é preciso que não só a política mas também a sociedade tenha grupos mais que antagônicos. Os grupos precisam demonizar um ao outro a ponto de considerar que o antagonista não tem legitimidade e nem mesmo dignidade humana.

Aqui entra a lógica do identitarismo na polarização tóxica e nos movimentos de ruptura. É um movimento que retroalimenta a polarização política e sedimenta na sociedade um tipo de moralidade distorcida em que é possível relativizar a dignidade.

Geralmente os identitaristas são mais identificados com partidos políticos que se dizem progressistas ou de esquerda. No entanto, desprezam as teorias políticas progressistas e de esquerda, fundadas basicamente na realidade e na estrutura social de classes.

Há apenas uma coincidência que é a visão coletivista de mundo, mas o identitarismo não se importa com a realidade. A identidade política não significa um projeto de mundo, de país ou de sociedade. É apenas uma marca a ser ostentada como tantas outras criadas pelo sistema capitalista.

Existe uma grande concentração de jovens identitaristas de classe média e classe alta em coletivos do PSOL e na União da Juventude Comunista, ligada ao PCB, Partido Comunista Brasileiro. Muitos personagens desses movimentos pregam a revolução – e não a democracia – como única forma de uma melhoria da sociedade.

Caso a revolução fosse feita com base nas teorias políticas de esquerda, os primeiros na fila de inimigos seriam justamente esses jovens privilegiados das elites urbanas. É por meio do identitarismo que eles se alienam a ponto de não reconhecer quem são.

Como repetem o dia todo que estão ao lado do oprimido, já que xingam sistematicamente e pedem demissão de quem entendem ser opressor, consideram que também são o que os movimentos de esquerda chamam de oprimido.

Estamos, no entanto, diante de dois conceitos diferentes. Na teoria política de esquerda, o conceito de oprimido tem a ver com classe social e com opressão econômica e social real.

No identitarismo, todos podem oprimir todos a depender de alguma característica, não necessariamente de ações. E, quando alguém se comporta como "aliado", ou seja, ataca quem considera opressor, automaticamente deixa essa condição.

O motoboy branco que vive na favela e é chamado de forma jocosa pela elite urbana de "CEO de MEI", já que abre um CNPJ para poder trabalhar, é visto como opressor. Afinal, é homem, cis, branco e, de acordo com essa moralidade, imagina ser empreendedor.

O jovem rico e sustentado pela família que vive do sistema econômico que oprime os pobres seria, no entanto, um aliado dos oprimidos. Como ele tira sarro do homem branco e cis da periferia, ele sai da cota do opressor para virar aliado do oprimido.

Não é um movimento muito útil na política por ser completamente desconectado da realidade, mas rende votos principalmente na elite urbana e faz candidatos com boa performance no Legislativo.

Conhecer a diferença entre polarização e polarização tóxica é fundamental para aprender a lidar com a face do extremismo que desperta diante das novas tecnologias. O jogo do poder já mudou, precisamos entender como ele funciona para que nosso posicionamento tenha as consequências que almejamos.

Uma das principais armadilhas da polarização tóxica é o desejo de vingança, natural em todos nós. Ele vem, nesses casos, com uma camada a mais, a que nos captura para esse redemoinho da polarização tóxica.

A vingança humana é geralmente contra outra pessoa. Por maior que seja o ódio, ainda é uma pessoa. No caso da polarização tóxica, a primeira ação de agressão já desumaniza o alvo, o vê como algo indigno, ilegítimo. E a reação contrária tende a reproduzir essa mesma lógica. Deixa, assim, de ser uma reação contrária para dar continuidade ao mesmo processo de caos.

O ponto principal para escapar dessa dinâmica é sempre manter a atenção na dignidade humana, principalmente na das pessoas que odiamos com ou sem razão. Ou a dignidade é inerente à condição humana e inegociável ou fomos capturados pela polarização tóxica.

O maior risco desse processo não é a demonização do grupo oposto, é a sacralização do nosso e a assimilação da crença de que somos intrinsecamente bons. Não somos. O bem e o mal convivem dentro de todos nós.

Quando preferimos fechar os olhos a essa realidade, o mal que vive em nós fica completamente fora de controle. Pior, no identitarismo ganha ainda uma justificativa moral, a defesa do oprimido imaginário.

CAPÍTULO 3

COMO EU ENTREI NESSA HISTÓRIA

Sou jornalista desde 1996, quando estreei como repórter da Rádio Trianon de São Paulo. Faço parte da última geração analógica de jornalistas, vivi a transição para a internet muito empolgada, apesar de prever que enfrentaríamos problemas, como enfrentamos até hoje.

O meu mundo e a minha forma de ver o mundo são muito diferentes das gerações que vieram depois de mim. Tenho dificuldades de entender o senso de urgência com coisas que não são urgentes e a falta de nexo entre ações e suas consequências.

É dessa realidade da escassez de informação e contatos que eu venho. Passei para uma outra realidade, a da abundância, em que o nosso desafio é fazer diariamente a curadoria do que consumir e com quem nos relacionar.

Fui repórter de trânsito, coisa que existia ainda na década de 1990, antes dos aplicativos que tornaram esse serviço desnecessário e obsoleto.

Meu maior aprendizado talvez tenha sido a fase de repórter policial, concomitante com aulas de Psiquiatria Forense e Direito Penal na Universidade de São Paulo. Aprender sobre o funcionamento de moralidades e estruturas de pensamento que abomino me preparou para a cobertura política.

Vivemos, nas décadas de 1990 e início do século XXI, um período de liberdade de expressão que contrastava com as décadas anteriores. Não era apenas a mudança do regime político com a abertura democrática, mas também uma questão cultural e de estrutura social.

O poder daqueles que vigiavam e puniam, dos que tentavam calar dissidências à força e pretendiam enquadrar a humanidade na sua própria visão de mundo entrou em decadência. Estranhamente, estamos voltando àquele estágio.

Antes, os velhos conservadores tentavam, de forma hipócrita, dizer a todos o que deviam fazer. Pregavam comportamentos que não tinham. Cobravam dos demais uma moralidade conservadora da qual escapavam às escondidas.

Agora vemos isso nas gerações mais jovens. Com a mesma desculpa moralista e frouxa de defender o lado do bem contra o mal, usam todos os instrumentos sociais de pressão para calar quem questiona sua estrutura hipócrita de regras.

Definiram, com base em teorias críticas pós–estruturalistas, uma visão de mundo que borra a individualidade e a objetividade. Dividem a sociedade em grandes grupos demográficos de massas amorfas, uma a oprimir a outra.

Com o advento das redes sociais, surgem novos mecanismos de reunião, o que muda drasticamente o exercício da política e da cidadania.

Ter poder sempre exigiu a construção de uma base social. Essa base invariavelmente tem alguma ligação ideológica com a causa política, religiosa ou qualquer outro tipo de causa. Mas, no mundo analógico, uma causa não tem como prescindir do contato humano e de lidar com a complexidade das relações humanas.

Os casos em que indivíduos se consideravam mais próximos desses grupos do que de suas famílias, amigos e círculo profissional eram pontuais e sempre considerados um tanto extremos.

Eram situações como jovens que decidiam ir para guerrilha ou fugiam para seitas religiosas. Com a tecnologia, essa transferência de vínculo pode ser feita sem a necessidade de proximidade física.

Há diversos movimentos em que as pessoas realmente quebram vínculos com aqueles que estão fisicamente e emocionalmente próximos imaginando que o vínculo com o grupo formado virtualmente seja tão real ou seguro quanto os vínculos reais.

Não são. Ficamos diante de um sistema em que se enfraquecem os pequenos e ganham os grandes. Se o vínculo com os que estão próximos e entendem a individualidade um do outro é quebrado, o que será posto no lugar?

Pode ser colocada muita coisa, mas estamos vendo a substituição por vínculos com grupos que são supostamente ideológicos, mas surgem a reboque de interesses econômicos e políticos.

Grandes multinacionais decidem virar as ditadoras da moralidade e da divisão entre o bem e o mal, o opressor e o oprimido. Montam toda a publicidade em cima da criação de vínculos entre aqueles que se sentem bem por "defender minorias" e "lutar contra estruturas opressoras".

Não existe uma estrutura humana mais opressora e ditatorial que a da empresa privada, sobretudo quando é uma grande corporação multinacional. Isso não é uma crítica, é uma constatação. Empresas não são a sociedade civil para ser democrática, são estruturas que produzem lucro e avanço tecnológico.

Com as novas ferramentas das redes sociais, chegamos a uma realidade em que jovens não criticam mais o poder desmedido de conglomerados bilionários e que canibalizam seus mercados, impedindo o surgimento de novos *players*.

Isso ocorre sobretudo no segmento das *Big Techs*. Mas, como elas lançam campanhas publicitárias que dão propósito e sentido às vidas de jovens e adolescentes de 40 anos das elites urbanas, são absolvidas.

Ganham efetivamente mais poder, já que ditam o que é certo ou errado em uma sociedade. Isso acaba passando para o universo político, que num primeiro momento julga conseguir manipular o poder econômico e hoje já é refém. Deixo essas discussões todas para mais adiante e volto para a minha história.

Eu vi com muita empolgação o surgimento das redes sociais, imaginando que seria uma forma de democratizar a informação. Realmente acreditei nisso.

Na minha cabeça, havia um grande problema que era a filtragem de informação pelas chefias de redação. O mundo mostrado às pessoas pelas notícias era aquele que se encaixava no padrão de pensamento de um número muito pequeno de pessoas.

Imaginei que, com a possibilidade de dar visibilidade a uma gama maior de informações, opiniões e pontos de vista, teríamos uma sociedade automaticamente mais democrática. Faz sentido? Faz. Mas não ocorreu assim.

O negócio das redes sociais não é dar visibilidade à maior multiplicidade possível de vozes e informações, é ficar no lugar que antes era reservado àquele pequeno grupo de chefes de redação.

Elas é que selecionam o que você vê e o alcance que tem o que você publica. Acabamos, no final das contas, com um grupo ainda mais elitista, homogêneo e cego para diferenças culturais e individuais do que tínhamos antes. E com o agravante de que as pessoas imaginam ser livres, o que não acontecia. Sempre houve uma visão crítica da imprensa. Agora as pessoas se iludem, imaginam que são livres com as redes sociais.

Eu não entendia nada de algoritmos. Imaginava as redes sociais da mesma forma que via a comunicação. Eram plataformas diferentes para produzir e lançar conteúdo. E isso realmente é verdade. Houve uma abertura grande e uma mudança positiva nesse sentido.

Por outro lado, não imaginava ser possível que essa mesma indústria controlasse a distribuição, o consumo e até a reputação dos produtores de conteúdo. Essa mudança, sob o ponto de vista da democracia e das instituições de Estado, foi negativa.

Em 2008, depois de 12 anos trabalhando como repórter e apresentadora na Rádio Trianon e Jovem Pan, percebi que me faltava algo importante. Eu não tinha experiência prática sobre aquilo que reportava.

Frequentemente tinha a sensação de ser engambelada ou de que os detalhes não fechavam bem. Quanto mais eu estudava e tinha experiência, maior essa sensação ficava. Recebi então um convite de Renato Parente, assessor respeitado no meio do Judiciário, para trabalhar na assessoria do Supremo Tribunal Federal.

Foi durante a presidência do ministro Gilmar Mendes. Eu tinha um cargo comissionado em que também era gestora pública. Ganhei diversos prêmios nacionais e internacionais. Passei com louvor pela auditoria interna do STF, feita por funcionários concursados.

Nos primeiros meses, precisei fazer cursos no Tribunal de Contas da União para aprender como funcionava o que antes eu achava que sabia. Não sabia. Havia muitos detalhes que nem eu nem outros jornalistas sabem.

Em seu livro de 1962, *The Image*, Daniel Boorstin (1914–2004) diz que o pior inimigo do conhecimento não é a ignorância, é a ilusão do conhecimento. Depois de alguns meses exercendo função pública, tive uma vergonha imensa de bobagens que falei antes.

Ali era justamente o ponto em que as redes sociais surgiam. Eu já tinha perfil no YouTube desde 2006 e no Twitter desde 2007. Fui entusiasta do falecido Orkut. Entrei no Facebook só em 2009.

Participei da equipe que fez a implementação das redes sociais oficiais do Supremo Tribunal Federal. Além da parte de comunicação em si, participei da equipe que fez a justificativa técnica interna.

Era preciso conceituar tecnicamente o que eram redes sociais e qual a relação daquela instituição pública com elas ao abrir uma conta. O STF foi a primeira suprema corte do mundo a dar esse passo.

Nessa função do STF, ganhei o prêmio mais importante da minha carreira profissional, o *International Children's Day of Broadcasting Award*, dado pelo UNICEF em Nova York. Era uma competição de produção de mídia por crianças envolvendo mais de 100 países.

Foi um passaporte para que eu conseguisse participar da seleção para algo que também envolvia "redes sociais", a campanha pela erradicação da pólio em Angola.

Passei na seleção do Unicef Angola para Consultora Internacional em Comunicação para o Desenvolvimento, responsável por assessoria de imprensa, publicidade e propaganda, mobilização social e *advocacy*.

Chegando lá, tive uma visão muito diferente do que seria minha atuação em redes sociais. Naquela altura, 67% da população adulta de Angola era analfabeta e o país tinha cortes de luz diários até nas zonas de maior luxo.

Aprendi a fazer do limão uma limonada. Como não havia endereços oficiais na maioria do país, pouca coisa era pós–paga. Praticamente todas as pessoas tinham celulares pré–pagos, abastecidos com cartões comprados em lojas físicas. Era muito comum ficarem sem crédito.

A companhia telefônica pertencia à família do ditador, o "arquitecto da paz", José Eduardo dos Santos. Comprávamos cartões com créditos telefônicos sem ter a menor ideia de quanto poderíamos falar ou usar de internet. Na primeira vez, perguntei quanto durava. A resposta foi: "Depende. Se usar muito, dura pouco. Se usar pouco, dura muito".

A companhia telefônica havia criado um sistema chamado "liga só". Se você estava sem crédito, conseguia mandar mensagem gratuitamente pelo sistema "liga só", pedindo à pessoa com quem você quer falar que ligasse ou mandasse mensagem a você.

Essas pessoas sabiam ler e tinham influência. Uma das ideias foi inserir instruções e datas da vacinação junto da mensagem do "liga só". A pessoa recebia o pedido de ligação e, logo abaixo, um lembrete para não esquecer e falar com os amigos e familiares.

Conto esse "causo" para deixar bem marcada a importância de que a rede social tenha conexão com questões e problemas da vida real, com ações efetivas, não apenas como declarações moralistas ou de sinalização de virtude.

Como minha gravidez chegava ao final, votei para o Brasil. Trabalhei no *marketing* da *holding* CCR, concessionária de rodovias e aeroportos. Mas nunca consegui ficar longe de um trabalho ligado a causas.

Em seguida, assumi como primeira diretora de Comunicação da América Latina da Change.org, plataforma de militância *online*. Tudo o que eu aprendi sobre algoritmos e respeito a dados pessoais e saúde mental dos usuários foi aí.

O *business* da Change.org são os dados. É uma empresa listada na bolsa de valores de Nova York como *B–Corp*, o que cria uma série de obrigações especiais. Uma delas era o respeito aos dados dos usuários.

Da mesma forma que as *Big Techs* coletam seus dados para maximizar as vendas de seus clientes, a Change.org coleta dados para maximizar campanhas de seus clientes. O que muda é a natureza da clientela.

Big Techs atendem empresas de qualquer tipo. Aliás, como vimos recentemente no noticiário, até criminalidade organizada conseguiu se infiltrar e se beneficiar de anúncios e publicidade direcionada. No caso da Change.org, os clientes são geralmente organizações beneficentes e não governamentais como Anistia Internacional e WWF.

Existe um protocolo de como tratar os dados das pessoas para que elas saibam exatamente quais informações são coletadas, o que será passado aos clientes e quais as consequências. É possível fazer e é sustentável economicamente, tanto que a Change.org existe no mundo todo e tem sucesso.

Ocorre que não utilizar esses protocolos éticos e legais dá muito mais dinheiro. A pessoa não entende por que aquelas coisas chegam a ela. Às vezes parece coincidência demais, algo que opera como mágica. Há quem imagine que algo especial, talvez até espiritual, esteja acontecendo.

Depois dessa experiência, trabalhei como assessora parlamentar, já na época em que as redes sociais começaram a ser importantíssimas para os políticos. Então, voltei à imprensa, agora como profissional especializada em colocar nas redes sociais as operações tradicionais dos meios de comunicação estabelecidos no Brasil.

É nesse ponto específico que começa minha história com o identitarismo em si. Sempre fui próxima de grupos de todo tipo de militância, tanto as favoráveis quanto as contrárias à minha opinião.

Em 2013, quando meu filho tinha dois anos, vivi meu primeiro "cancelamento". Ainda não tinha esse nome e eu demorei anos para entender o que acontecia.

Quando voltei de Angola, deixei todo meu vínculo com o Unicef Angola. Não era possível continuar o trabalho acompanhada de um bebê. Fazer esse trabalho grávida já foi quase um milagre.

Precisava arrumar emprego por aqui, resolver minha situação burocrática de reingresso no Brasil e, ao mesmo tempo, organizar as condições para fazer o parto e o enxoval. Tinha mais ou menos um mês.

Eu não tinha mais conta em banco no Brasil e meu dinheiro estava no exterior. Não daria tempo de trazer de volta antes do parto, mesmo com ajuda de gente brilhante na área contábil. Era muita burocracia e tinha de ser cumprida.

Alguém me deu a ideia de fazer um *blog* contando histórias de maternidade, da minha rotina e, ao mesmo tempo, pedindo que me ajudassem a montar o enxoval do meu filho. Era o início das ativações de "*fan bases*" e podia ser que algo viesse daí.

Era improvável que desse certo, mas eu estava desempregada. Tentei. Tive ajuda da minha família em algumas coisas, mas a quantidade de doações e de vínculos formados foi impressionante.

A primeira vez que comprei fraldas para o meu filho ele tinha 6 meses de idade. Até lá, não precisei comprar praticamente nada para ele, tudo vinha desse vínculo com os seguidores, muitos dos quais me acompanham até hoje.

Foi por meio desse *blog* que acabei chegando a um coletivo chamado "Blogueiras Feministas", em que eu escrevia esporadicamente, sem vínculo fixo nem remuneração, principalmente sobre liberdade e maternidade.

Eu me divertia muito quando portais progressistas e de esquerda reproduziam meus textos e os colocavam nas redes sociais. Faziam sem pagar e sem pedir, claro. Não imaginavam que, na época, eu era assessora da liderança do PSDB na Assembleia Legislativa de São Paulo.

Naquele tempo longínquo, o PSDB era sinônimo de fascismo e nazismo. Recentemente, foi absolvido de seus pecados. Talvez as próximas gerações nem fiquem sabendo dessa mancha do passado.

Foi nessa função que, pela primeira vez, vivenciei algo muito diferente do que estava acostumada com movimentos sociais. Havia uma lei do parto humanizado já aprovada e sancionada no município de São Paulo e que seria replicada no Estado.

Uma ONG de mulheres da classe média alta urbana, com forte discurso feminista e pelo parto em casa, gostaria que suas pautas fossem ali inseridas.

Quase certeza não seriam. As pautas não tinham apelo junto à opinião pública porque eram reivindicações de uma porção muito pequena da elite. Além disso, como se tratava de pessoas com dinheiro, elas já pagavam para realizar o parto como queriam. Na prática, era uma não reivindicação.

As pessoas interessadas no tema já eram atendidas porque podiam pagar. Não havia nenhum indicativo de interesse real daquelas pessoas que supostamente seriam representadas pelo movimento e não tinham como pagar. A situação dos domicílios das mulheres pobres e o acúmulo de trabalho doméstico tornam a questão do parto em casa algo muito distante de um desejo.

De qualquer forma, para qualquer movimento social pequeno já seria uma vitória poder ser recebido por um parlamentar. Foi o que providenciei, o início de uma interlocução e a entrega de um documento com as tais "reivindicações". Houve fotos e tudo.

No final, o projeto seguiu da mesma forma, como já era esperado. A surpresa é que o tal coletivo começou um movimento nas redes sociais dizendo que não havia sido ouvido pelo parlamentar e que, portanto, a vontade do povo não estava representada no projeto.

Aquilo me marcou profundamente, porque era uma desconexão completa da realidade. Pela primeira vez eu vi a imprensa embarcar num delírio desses, manipulada por um discurso emocional e moralista, mas, sobretudo, elitista.

O representante popular é o deputado, que recebe seu mandato por votação popular. O coletivo representa quem? A rigor, ele próprio, um punhado de mulheres ricas, moradoras de bairros nobres de São Paulo e com uma visão restrita de mundo.

Elas foram ouvidas pelo parlamentar. Ocorre que a posição delas não foi adotada porque era muito discrepante de dezenas de outras lideranças e de organizações da sociedade civil que tinham uma base social muito mais ampla e também haviam sido ouvidas. De qualquer forma, elas foram reconhecidas como uma voz legítima.

Até então, estavam reclamando do PSDB, do deputado, do patriarcado, de tudo. Era muito difícil explicar os fatos às repórteres que reproduziam o discurso. O projeto era o mesmo sancionado meses antes pelo petista Fernando Haddad e elogiado pelos coletivos feministas e pelas repórteres. O que havia mudado?

Não sabiam responder. Na imprensa, aquilo acabou meio empastelado. No Facebook, não. Descobri que integrantes do coletivo haviam partido para um ataque contra a minha reputação. Eu não era deputada nem filiada ao PSDB, apenas tive a genial ideia de providenciar a interlocução.

Segundo as postagens, eu seria contra os interesses das mulheres e aliada do patriarcado porque a visão delas, que não foram eleitas para nada, não prevaleceu sobre a visão de 91 parlamentares e dezenas de organizações da sociedade civil.

De repente, uma delas levanta uma prova cabal contra mim. Eu havia escrito um artigo contra o recém–nascido movimento antivacina dos ricos paulistanos. Naquela época, o movimento antivacina era progressista, fortemente ligado ao veganismo.

Eu havia trabalhado na erradicação da pólio em Angola. Lidei com a arrogância dos novos antivacinas de classe média–alta europeia. Como tinham nível superior, julgavam saber muito mais do que todos os infectologistas do mundo. Vimos esse filme recentemente durante a pandemia de covid–19.

No meu caso específico, era com vacinas já testadas e aprovadas há décadas, como a da pólio. Sustentei, como sustento até hoje, que pais não têm o direito de privar seus filhos da proteção dada pelo calendário obrigatório do Ministério da Saúde.

Além disso, vacinas como pólio e sarampo, por exemplo, só funcionam de forma coletiva. É preciso que um percentual esteja vacinado – geralmente acima de 85% – para que ela garanta a imunidade de todos, inclusive dos próprios vacinados.

Deixar que alguém use sua mistura de crendice com *fake news* progressista para sabotar um esquema de vacinação já exaustivamente comprovado há décadas é contra os interesses da sociedade.

Uma das mulheres do coletivo "feminista" disse que essa atitude minha era uma violação de liberdade individual, que eu era contra a autonomia da mulher. Não foi exatamente com essas palavras ponderadas.

Foi algo bem emocional que ainda era novo, mas agora é muito mais frequente. Inferia que eu tinha determinadas características emocionais ou uma agenda maligna oculta. Apelava muito para a convicção de que eu era má ou estava abalada psicologicamente.

Incitava as demais para que me rechaçassem. Xingava e tinha apoio. Eu não entendi aquilo direito e liguei para uma das diretoras do coletivo, que não se comportava daquela maneira e nem entrou na onda.

A coisa ia de tal maneira que eu já estava sendo xingada de um monte de coisas desconexas do fato inicial. Por ser a favor do calendário infantil obrigatório de vacinação do Ministério da Saúde, eu tinha virado aliada do patriarcado, contra o feminismo e as liberdades individuais.

Ocorre que, para a maioria das pessoas, chegava só a acusação, não o motivo. Aliás, depois eu contava o motivo e era desacreditada, dado o absurdo do caso. Coincidentemente, a partir desse dia, me foi tirado o *login* e o acesso à lista de publicações do outro coletivo, o "Blogueiras Feministas".

Dali em diante, havia uma barreira invisível sobre o meu nome. Até no meio político eu passei a ser vista como alguém contra os avanços dos direitos das mulheres. Era conservadora, reacionária até.

Mesmo na imprensa, entre colegas que me conheciam pessoalmente há mais de 20 anos, havia a crença de que eu era contra o feminismo. De repente, somente veículos de direita me publicavam. Meu nome passou a ser vetado em veículos que não eram de direita.

Obviamente dava errado quando me contratavam esperando um ataque ao progressismo, eu não era o que eles esperavam. Não iria xingar pessoas nem fazer julgamentos morais de acordo com a ideologia política. A conversa ganhou volume a ponto de realmente me contratarem achando que isso aconteceria.

Esse período coincidiu também com o aumento da temperatura política. Pareciam, para mim, fenômenos interligados. Cada vez mais era importante sinalizar virtude para formar vínculos imaginários com esses grupos. Só que isso, agora, acabava dando poder político.

Aprendi num vídeo do comediante John Cleese, do Monty Python, que o extremismo político tem esse lado benéfico do alívio psicológico. Ao aderir cegamente a um líder ou a uma causa, há uma lista de inimigos contra os quais tudo é possível a depender da ideologia.

Há um inimigo em comum para todos os grupos extremistas, o moderado. Ele representa uma ameaça à existência do próprio grupo, já que é um questionamento eterno à sua racionalidade, eficácia e moralidade. Por isso, precisa ser destruído.

No ambiente social, fui alvo do identitarismo. Mas, no ambiente político, os ataques vinham de novos *influencers* da direita. Anos depois, entendi que eles atacam principalmente mulheres liberais de maneira virulenta para ganhar poder. Funciona.

Demorei anos até aprender a documentar e mapear essas redes, algo fundamental para que pudesse deixar de ser um alvo interessante. Consegui só apelando ao bolso. Não ao Bolsonaro, às ações de dano moral, infelizmente. É deprimente ter de envolver o Judiciário de um país com tantos problemas em histórias como essa, mas elas não têm um fim sem a ação dos juízes.

As leis penais brasileiras são insuficientes e o Ministério Público ainda não entende a diferença entre uma pessoa desabafar ou ofender e a montagem de um esquema de ataques coordenados impulsionado por algoritmos.

Uma vez tirei uma foto com a artista internacional de performance Marina Abramovic, de cujo trabalho sou fã. Essa foto foi espalhada por *influencers* como prova de que eu era satanista e pedófila.

Muito rapidamente havia *podcasts* inteiramente dedicados a me xingar, incitar violência contra mim e explicar as acusações de pedofilia e satanismo.

Obviamente as pessoas que se relacionavam profissionalmente comigo não acreditavam. Só que isso não importa muito na prática.

Todas as vezes em que meu rosto ou meu nome eram mencionados, perfis anônimos organizavam uma espécie de gincana para fazer xingamentos muito baixos e com o uso de palavras obscenas.

Suponha que você tivesse uma instituição educacional. Você me contrataria para apresentar um evento, sabendo que o *chat* da transmissão seria um esgoto pornô? Claro que não.

Cheguei a ouvir de amigos que até tinham vontade de me ajudar, mas não queriam ser contaminados por aquela onda.

Tentei todos os canais possíveis de reclamação junto às redes sociais. Foi um tempo perdido. Mas, àquela altura, não imaginava que as empresas sabiam disso e faziam cálculos se deveriam ou não intervir.

Embora o que motivou o cancelamento aqui não tenha sido o identitarismo, é o que me credencia a falar abertamente e sem medo contra ele hoje.

Eu aprendi a mapear essas redes, identificar como operam e levar essas pessoas a assumir a responsabilidade pela destruição que causam enquanto tentam dar sentido às vidas patéticas que levam.

No caso desses ataques de grupos que procuravam ganhar poder na política, mapeei quais eram as pessoas que faziam parte de algo organizado. Muita gente me xingava e me difamava como forma de desabafo ou alívio emocional. Seria impossível responsabilizar todos.

O principal era neutralizar quem fazia isso de forma planejada e influenciava pessoas a aliviar seus ressentimentos sendo violentas comigo. Enfrentei a questão a sério mesmo quando ameaçaram meu filho de morte, ele tinha sete anos.

Descobri que, se você levar pessoas–chave a assumirem suas responsabilidades, você deixa de ser alvo preferencial delas. Muita gente me aconselhou a calar, o que fiz num primeiro momento. Talvez tenha sido o pior erro da minha vida.

Por isso não calo contra o identitarismo. É forçando o silêncio de quem questiona que os mais autoritários são fortalecidos e a qualidade ética do grupo vai se deteriorando.

Já ganhei alguns processos judiciais contra extremistas políticos. Há mais alguns em curso contra expoentes do identitarismo que utilizaram rigorosamente as mesmas práticas para ganhar influência e seguidores.

As redes sociais foram avisadas em cada um dos casos. Nada fizeram. Quer dizer, fizeram algo, recompensaram com seguidores e audiência quem se engajou nos ataques difamatórios.

Eu compreendo esse mecanismo e o que leva pessoas a se deixarem levar. Acredito em redenção e estou sempre aberta a perdoar quem pelo menos tenta reparar o estrago que faz na vida dos outros.

Nessa jornada pelo esgoto da manipulação psicológica na internet, tenho o orgulho de hoje chamar de amigos pessoas que estavam capturadas nessas redes tóxicas e me atacavam sistematicamente.

Hoje, muitos se tornaram pessoas livres, que podem criar laços por afeição e proximidade e não dependem mais da lealdade cega a um grupo violento, cancelador e com o qual nem têm contato direto.

Os extremistas políticos, na minha experiência, foram mais violentos. Ameaças de morte críveis aconteceram. O identitarismo comemorava em público quando acontecia, não fazia ameaças. Mas só comemorava porque eu sou opressora e ninguém mandou meu filho ser filho de quem é.

A principal diferença entre os delírios e crendices de extremistas políticos e do identitarismo é a aceitação pela intelectualidade. O identitarismo, que é uma crendice anticientífica, acaba sendo largamente aceito nas universidades e na imprensa.

Pode ser, não sou contra. Da mesma forma que você tem horóscopo, leitura de tarô e previsão de futuro na imprensa, você pode ter identitarismo. O que não pode é fingir que esse sistema de crenças e recompensas psicológicas explica a realidade ou guarda relação com ela.

Durante muito tempo, eu não tinha uma única referência que explicasse esse fenômeno. Via muita gente reclamar dele mas, ainda assim, reconhecer que existe machismo, racismo, homofobia.

Ocorre que, se você reclama do identitarismo, é automaticamente jogado no balaio de quem imagina não haver nenhum tipo de preconceito na sociedade, o que seria delirante.

Para mim, as coisas mudaram quando vi outra mulher da minha geração falar e conseguir colocar de forma ordenada o que eu sentia como mulher.

Meghan Daum, escritora, ensaísta e jornalista, lançou em 2019 o provocativo *The Problem With Everything – My Journey Through the New Culture Wars*[3], ainda sem tradução aqui no Brasil. "O problema com tudo – minha jornada pelas novas guerras culturais", em tradução livre.

O livro dela descreve exatamente o fenômeno que eu vivi com os coletivos feministas a partir do momento em que discordei de uma pauta antivacina.

Também mostra muito claramente essa sensação passada às novas gerações de que nada está sendo feito e de que nunca a situação das pessoas foi tão ruim. Essa sensação não é universal.

Aliás, segundo mostram várias pesquisas[4], este é um sentimento de países ricos e desenvolvidos.

---

3. Nova York: Gallery Books, 2022.
4. https://www.pewresearch.org/social-trends/2019/03/21/public-sees-an-america-in-decline-on-many-fronts/, https://www.nytimes.com/2021/11/17/upshot/global-survey-optimism.html e https://www.gatesfoundation.org/ideas/media-center/press-releases/2018/09/gates-foundation-poll-finds-young-people-more-optimistic-about-future-than-older-generations, acessos em 21/nov/2022.

Exatamente onde se tem na história a melhor expectativa de vida, mais liberdades individuais, mais avanços tecnológicos, mais conforto, menos genocídios e menos ameaças reais é que se tem a sensação de que tudo está ruindo.

Enquanto isso, em países que ainda têm desafios enormes nas liberdades individuais, como os da Ásia e do Oriente Médio, as pessoas tendem a reconhecer avanços e ter mais esperança.

O livro de Meghan Daum traduz perfeitamente a situação: "O problema com tudo". Tudo é problema, não há medida nem racionalidade.

Nunca o patriarcado oprimiu tanto, vivemos a cultura do estupro, "nem todo homem mas sempre um homem". Quem ouve essas mulheres da elite urbana do Brasil deve pensar que elas vivem sob as regras do Talibã.

Isso não é feminismo, principalmente pelo fato de ter apenas um tipo de discurso permitido que é imposto a todas as mulheres. As que não repetem, como papagaios, os clichês que as líderes imaginam ser conhecimento científico, são ostracizadas.

Eu entendo que muita gente precisa se submeter a isso porque grandes empresas e até a imprensa sucumbiram a essa estrutura de poder e controle moral.

Mas nem todas as pessoas precisam se submeter ao autoritarismo, violência e delírio de quem tem as costas quentes pelo poder econômico, a força das marcas e da publicidade.

Cada coisa fique no seu lugar. Somos consumidores, temos o direito de comprar e queremos produtos. Cidadania e causas sociais não são produtos. Não tem para vender em empresa. Quando tem, é falsificado e vai resultar, como tem efetivamente resultado, num ambiente menos democrático e mais violento.

Passou da hora de aprender a reconhecer o discurso, os truques e métodos do identitarismo para que ele ocupe o lugar que lhe cabe, de seita. Como seita, que seus membros se lambuzem nas próprias crendices e vivam felizes com elas.

Não podemos deixar que uma seita imponha seus delírios sobre a vida de toda uma sociedade. E estamos deixando. Convido você a, dentro das suas possibilidades, contribuir para mudar esse estado de coisas.

O primeiro passo é conhecer e entender as diversas iniciativas de intelectuais que já existem no mundo todo para libertar empresas, marcas e políticos das amarras de grupos autoritários.

a. Entrevista com Meghan Daum

Confesso que não sosseguei até conseguir uma oportunidade de entrevistar Meghan Daum. Queria falar com ela, trocar ideia, entender se aquilo que eu via no livro era a mesma coisa que eu sentia.

Em 2020, consegui uma entrevista exclusiva. Tentei, sem sucesso, publicar em diversos veículos de comunicação. A *Revista Oeste* chegou a publicar um pequeno artigo meu sobre o livro, mas não se interessou pela entrevista.

Segue aqui, na íntegra, com exclusividade. Foi meu primeiro passo para unir o conhecimento que já tinha do mundo virtual às teorias do identitarismo, que simulam movimentos conhecidos como o feminismo, mas propõem ações muito diferentes.

O ponto central é que não há nenhum foco em solução. Aliás, se tiver solução, o identitarismo deixa de existir. Não são pessoas com capacidade de avançar as pautas, solucionar um degrau e partir para o outro.

O ponto central é reclamar, dizer que não aguenta mais, fazer muitos apelos sentimentais, condenar alguém e exigir de forma moralista que os outros mimetizem esse comportamento.

Quem não diz exatamente o que o identitarismo manda e na hora em que ele manda é automaticamente visto como inimigo. Com ajuda das redes sociais em alcance e velocidade, é um movimento que bate de frente com a razão.

Sempre a solução será trocada pela reclamação e sinalização de virtude. Essa é a primeira característica. Nessa entrevista, fiz a conexão entre as características das redes e desses grupos. Só bem depois fui entender que precisava conhecer mais da mente humana.

Você vai fazer essa viagem comigo.

Madeleine Lacsko – Muitas mulheres já passaram por situações como as que você descreve no livro, inclusive eu, mas nós não temos um livro sobre esse tema aqui no Brasil ainda.

Meghan Daum – *Talvez vocês tenham uma tradução. Tem sido estranho, é controverso, tem sido difícil até de conseguir edições internacionais. É interessante observar. Acho que ele está encontrando sua audiência, que as pessoas estão se empolgando com ele, mas, inicialmente, as pessoas estavam apreensivas, eu acho.*

ML – Mas as pessoas realmente acham que você está criticando os direitos das mulheres quando você fala sobre o seu livro?

MD – *Bom, eu acho que as pessoas que realmente leem o livro percebem que eu não estou, mas, quando o livro saiu, houve algumas críticas escritas por essas feministas mais jovens,* millennials, *que automaticamente presumiram que eu estava do lado errado.*

Eu não penso que elas leram o livro no sentido que eu escrevi, pensaram que era um libelo acusatório contra o feminismo e as "sobreviventes", essa coisa toda, que eu fazia apologia ao estupro, e claro que isso é absurdo, não tem nada disso. Mas as coisas estão em um momento no qual é difícil compreender ideias minimamente complexas. Tudo tem de ser muito, muito claro e poder ser expressado em um tuíte, tem de ser muito preto no branco. Então, tem sido... (ela ri).

É totalmente esperado, eu previ exatamente esse tipo de reação, mas não é por isso que deixa de ser frustrante.

ML – Você descreve algo como a "Quarta Onda" do feminismo. Como eu posso definir isso? Quando começa e quais são as suas principais características?

MD – *Isso depende de como você as classifica. Eu defino que a Quarta Onda do feminismo surgiu por volta de 2012, muito baseada na* internet, *é uma espécie de ativismo que se expressa* online, *com muito mais intersecções, é um feminismo muito mais preocupado com questões raciais, de gênero. Penso que a ideia de pessoas não binárias e trans, as pessoas começaram a saber mais sobre isso, certamente nunca tanto quanto nos últimos anos.*

Eu penso que a Quarta Onda do feminismo é aquela expressada majoritariamente online. *Você se lembra do* Tumblr?

ML – Sim, lembro!

MD – *Esse foi um grande participante da Quarta Onda do feminismo. Você tinha* blogs *como o "Feministing" e o "Bitch Media", esse tipo de coisa.*

Foi daí que surgiu a ideia de que há muita misoginia na cultura e que mulheres são uma espécie de grupo de interesses especiais e é aí que eu divirjo da Quarta Onda do feminismo.

Eu não tenho nenhum problema com ativismo online, *é inevitável, claro. Mas eu acho um pouco esquisito que justamente quando, você sabe, tecnicamente falando, as mulheres nunca estiveram indo tão bem no mundo, principalmente no ocidente. As mulheres nunca foram melhor educadas, nunca conseguiram mais diplomas de nível superior, são mais saudáveis do que sempre, estão indo melhor em todos os setores, mas você não saberia disso pelo que tem dito o movimento feminista.*

O feminismo tem essa ideia de que toda a imprensa é patriarcal, de que as mulheres vivem sob o jugo da masculinidade tóxica, da cultura do estupro e que essas ideias são as que prevalecem. Então, é aí que eu acho um tanto… um tanto esquisito.

ML – Eu também tenho essa sensação. Claro que nós temos problemas, mas eu penso que é o melhor tempo na história para ser mulher. Em todo o mundo há problemas, mas as coisas estão melhorando muito. Me parece que, quando você tira a esperança das pessoas, parece que nada daquilo que você faz vale a pena.

MD – *Certo. Eu não sei exatamente por que isso ficou assim. Penso que é muito fácil você expressar reclamações e revolta* online, *tem retorno quando você aponta como tudo é tão terrível e é o que se estabeleceu em torno deste tema.*

Eu também penso que, talvez, essas mulheres que são mais jovens, elas não percebam quantas coisas já melhoraram num período relativamente curto de tempo.

Eu fico repetindo que a pílula anticoncepcional, por exemplo, só existe há cerca de 60 anos e com isso quero dizer que, antes dessa época, ninguém tinha muito controle sobre os rumos da própria vida, especialmente as mulheres.

Hoje, o mundo não é perfeito, ainda tem muita coisa para fazer, mas nós estamos muitíssimo melhores do que estávamos. Simplesmente por dizer algo assim, penso que uma jovem feminista da Quarta Onda poderia responder: "ah, você está se desculpando pelo patriarcado" ou que "você não tem padrões altos o suficiente de como as coisas deveriam ser".

Outro jeito de dizer isso é que nós somos realistas sobre o ritmo do progresso, então não vamos nos sabotar em nome de mostrar o que está errado.

ML – Isso de apontar o dedo para outras mulheres, dizer que elas estão protegendo os homens, vir falar de "cultura do estupro" me parece algo que meu pai tentava fazer comigo: controlar minhas opiniões. Mas ele pelo menos pagava minhas contas. Essas pessoas nem pagam nada e querem fazer o mesmo. Me parecem o novo patriarcado. O que você pensa disso?

MD – *Definitivamente há uma espécie de "mensagem aprovada" que você deve disseminar. Eu acho que é um exemplo de mentalidade de massas, do contágio social.*

É a ideia de que existe algo como masculinidade tóxica, é muito fácil simplesmente despejar termos como esse por aí sem que ninguém se dê ao trabalho de defini-*los com algum tipo de precisão.*

Se você usa esses termos nas redes sociais, você ganha likes, retweets, *todos os benefícios que vêm daí, então o incentivo para perpetuar essa cultura da reclamação é bem grande. E o prejuízo por questionar a cultura da reclamação é enorme: você será colocada no ostracismo, você será acusada de não apoiar as mulheres e eu acho que, especialmente para mulheres, ser excluída do seu próprio grupo e ser ostracizada por outras mulheres é realmente dolorido.*

E é uma ironia que eu percebi com isso tudo, porque você não vê grupos de homens brigando dessa forma. Não penso que homens, generalizando, sejam tão receptivos a essa dinâmica de dentro-do-grupo e fora-do-grupo.

Então, tem muitas mulheres que se sentem da forma como você e eu nos sentimos, mas elas não estão necessariamente falando disso em público porque você vai ser colocada no ostracismo e isso é duro de suportar para muitas mulheres.

ML – Em que medida você acredita que as mídias sociais têm a ver com isso?

MD – *Eu acredito que quase inteiramente, acredito. As mídias sociais pegam os nossos piores impulsos e nossas interpretações mais simplistas e reducionistas das coisas e ampliam, fazem com que se torne viral e realmente recompensam aqueles que fazem as interpretações mais simplistas e mais revoltadas. Então, você tem essas lideranças de pensamento, que são consideradas intelectuais, mas o que elas estão fazendo é dizer coisas óbvias e repetir sistematicamente.*

Daí reviram os olhos para o patriarcado, ficam falando de coisas sobre como os homens brancos têm de calar a boca, são coisas bem óbvias de dizer e você é recompensada e fica repetindo sistematicamente.

ML – Eu vejo muitos meninos, principalmente adolescentes e pré-adolescentes, reagindo de forma violenta a esse tipo de discurso. Você teme que a gente esteja criando uma geração de homens mais violentos?

MD – *Essa é uma profecia autorrealizável, certo? Essas mulheres podem insultar homens, podem sair por aí tirando sarro dos homens, ficar reclamando dos homens, insistir na ideia de "homens brancos" sob as premissas de interseccionalidade.*

Os "homens brancos" estão no comando, então está tudo bem tirar sarro deles. A lógica é que está tudo bem debochar deles porque você está "mirando para cima", existe uma lógica de que está tudo bem mirar para cima mas não mirar para baixo. Então, você começa a reclamar dos homens o tempo inteiro, como se estivesse tudo bem e duas coisas irão acontecer:

Você vai deixar esses homens com raiva de você, então você vai criar uma situação em que se provará correta porque você vai reclamar tanto sobre o quanto os homens odeiam as mulheres que isso fará homens odiarem mulheres, então você provará que está correta.

A pior coisa disso, para mim, é que estão dando aos homens um poder que eles não necessariamente têm. Se você presume que está tudo bem criticar e fazer generalizações sobre eles o tempo todo porque eles automaticamente têm poder, está errado.

Eu acho que nós estamos dando atenção demais aos homens. O verdadeiro empoderamento feminino seria simplesmente não pensar tanto nos homens. Para mim, nós estamos gastando realmente muito tempo pensando neles quando seria muito mais feminista, na minha opinião, simplesmente viver nossas vidas como pessoas.

Se um cara assobia para você na rua ou te trata de um jeito inadequado, ignore ou mostre o dedo do meio para ele, tanto faz, só não decida que o mundo te odeia e que não é seguro andar nas ruas, é absurdo.

ML – Você acha que nós conseguiremos sair dessa armadilha?

MD – *Eu acredito que as pessoas estão ficando cansadas da raiva nas redes sociais, o que nós estamos vendo agora, o policiamento da pureza, a cultura do cancelamento.*

Todo mundo vai ter problema com alguma coisa por algum motivo. Não é sustentável, as pessoas estão se cansando disso. Eu estou cansada disso há muitos anos e tem ficado pior a cada dia. Eu não sei como podemos superar isso. Penso que a internet não é mais um bebê, mas está na primeira infância, ou seja, pior do que uma criança maior, então talvez tenha de crescer e se tornar algo mais aceitável. Leva tempo.

Muitas pessoas jovens não veem o arco da história, não veem o tanto de progresso feito em pouco tempo. Eu penso que mulheres, no todo, são melhores que homens (dá risada). Não é à toa que, assim que conseguimos algumas oportunidades, subimos como um foguete, muito rápido. Mas eu acho que, talvez, se você tem 20 anos de idade e toda sua consciência feminista gira em torno de ideias sobre masculinidade tóxica e abuso sexual de uma forma que causa aversão, você não vai ver o panorama.

CAPÍTULO 4

NÓS AMAMOS ODIAR

Trabalhei em rádio durante muitos anos, antes da internet. Recebíamos muitas cartas e, em outras eras geológicas, uma infinidade de mensagens por fax. Quase todas eram reclamações. As mais longas eram reclamações coléricas.

Pense nas vezes em que você já escreveu uma mensagem para uma loja ou um veículo de comunicação. Foi para reclamar ou elogiar?

Esqueça a tendência de julgar isso moralmente, como se fôssemos todos um bando de ranzinzas. É natural a gente dedicar mais tempo e atenção àquilo de que não gostamos.

Há muitos anos, costumávamos falar na comunicação que as maiores audiências são para desgraça e vida alheia. Está aí o enorme sucesso de todas as produções de séries e *podcasts* sobre *"True Crime"*, com casos reais, mostrando que realmente esses temas captam nossa atenção.

Vivemos a economia da atenção. Passa a ter valor o que consegue captar a atenção das pessoas. Só depois é que vêm as razões e a capacidade de fidelização ou criação de seguidores.

Pense agora no seu uso de redes sociais. Falo de todas elas. Vamos tirar aqui da equação grupos de amigos ou familiares porque há outras variáveis em questão, como manter a harmonia.

Você está no Twitter ou no Facebook e vê uma postagem de um político. Sua tendência de comentar ou compartilhar é maior se você gostar ou se achar aquilo um absurdo? Deixo sua resposta pessoal com você, vamos ao que ocorre com o geral da população.

Há sentimentos que mobilizam completamente nossos sentidos, como o ódio e o medo. Tendemos a dar mais atenção a conteúdos que nos provocam isso e a compartilhar mais esses conteúdos. Aqui não se trata de uma tendência maligna, pelo contrário.

As pessoas compartilham aquilo que desperta ódio e medo para prevenir outras pessoas ou na tentativa de unir um grupo que possa se contrapor àquilo. O grande problema é saber se são questões verdadeiras ou não.

Todos nós já caímos no "repasse imediatamente para todos os seus contatos" em algum ponto da vida. A maioria das pessoas agora está escolada para esse tipo de apelo à urgência.

Até 2013, era mais comum cair nisso, na pressão emocional. Dois professores da Universidade da Pensilvânia, nos Estados Unidos, Joseph G. Campbell e Katherine L. Milkman, resolveram medir esse fenômeno.

Isso foi antes da explosão das redes sociais e da sedimentação de seu uso misto como plataformas de relacionamento interpessoal e de informação. Até então, eram universos de certa forma separados.

A medição foi feita com artigos do *website* do *New York Times*, catalogados pelo tipo de emoção que despertam nos leitores. Todas as postagens eletrônicas de meios de comunicação já geram respostas objetivas sobre performance.

O jornal recebe a resposta de quem leu, de onde acessou, com qual tipo de equipamento, por quanto tempo, se continuou consumindo produtos do jornal, se repassou a alguém, se voltou à página, se postou, enfim, uma infinidade de informações úteis para o negócio.

A novidade da medição foi a classificação que os professores fizeram dos artigos, separando por sentimentos que geram nas pessoas. A primeira divisão foi apenas entre histórias positivas e negativas. Adivinhe quais foram as mais compartilhadas.

Foram as positivas. Os artigos que trazem dicas práticas são campeões. É aquele tipo de reportagem com instruções para consumidores, dicas de lugares para comer, cursos, filmes, músicas. Na publicidade, ocorre algo semelhante, já que o maior compartilhamento é de conteúdos engraçados.

Havia ainda um outro recorte, o de tipo de emoção gerada. Nesse, o mal venceu o bem. Ocorre que não exatamente por ser o mal, mas por ser empolgante.

As emoções foram divididas em várias classificações e as que mais geraram compartilhamentos foram ódio, medo e ansiedade. São três emoções classificadas como de "alta excitação".

Especificamente no segmento de experiências do consumidor, hoje um filão gigantesco no mercado da internet, as mais compartilhadas são as que dão mais raiva em quem lê.

Essas conclusões geraram uma série de diretivas para a área de *marketing*, que foram implementadas e são utilizadas até hoje por grandes empresas.

Uma primeira orientação era a de começar a comparar o custo de investir em *influencers* ou formadores de opinião com o custo de produzir conteúdos virais.

Não existe uma fórmula de como produzir algo viral, mas esse estudo começou a delinear alguns caminhos. A primeira dica é jamais relaxar o público e investir o máximo em emoções de alta excitação. Conteúdos que deixam os consumidores tranquilos e relaxados não serão tão compartilhados quanto aqueles que os deixam inquietos.

"Emoções negativas não fazem nenhum mal quando empolgam", sentencia o estudo. Não é uma abordagem de psicologia nem de saúde mental ou coesão social e democracia. Falamos aqui apenas do que funciona ou não no *marketing*.

Há o questionamento da desvantagem de associar uma emoção negativa a uma marca. O estudo levanta que não há desvantagens se essas emoções foram também de alta excitação.

Sem o componente da viralização como interesse e objetivo da marca, marketeiros tendem a desaconselhar conteúdos que produzem emoções ruins.

Um dos primeiros testes, que também está relatado no estudo, é uma série de filmes para internet feitos para a BMW. Os títulos eram um tabu para o *marketing*, coisas como "o refém" e "a emboscada". Digamos que não são qualidades que você goste de associar a um carro de luxo.

Mas as cenas de perigo e perseguição em alta velocidade geraram uma excitação que fez com que a série viralizasse. Foram milhões de compartilhamentos. E, ao final, a reputação da marca melhorou mesmo com a geração de sentimentos ruins.

O estudo também traz instruções para lidar com o consumidor, algo que mudou completamente a dinâmica do mercado de atendimento e, em última análise, criou todo um novo segmento de poder.

Quem forma grupos de pressão via redes sociais exerce mais poder sobre as marcas do que quem tem causas justas, urgentes ou graves.

A instrução é que se dê mais atenção e mais rápido ao consumidor que está com ódio ou raiva do que àquele que está disposto a uma conversa razoável e tem problemas reais. Moralmente parece – e é – um absurdo, mas a lógica é do *marketing*.

O que vai viralizar entre os relatos de consumidores é o que tiver muita raiva. Apenas isso, nada mais. Não precisa ter coerência nem mesmo verdade, só raiva. Então, uma reclamação dessas é capaz de destruir a reputação de uma empresa mesmo que não tenha nenhum fundo de verdade.

O estudo cita o caso do serviço de atendimento ao cliente de uma empresa farmacêutica. Há duas mães reclamando de remédios. A primeira postou uma queixa dizendo que comprou o remédio e havia uma infiltração na embalagem, estava estufada, com cheiro estranho. A outra ficou ofendida com a propaganda do remédio.

Qual você acha que deve ser atendida primeiro? Moralmente e até por questões práticas, a tendência é de querer atender primeiro a que teve o problema real, da embalagem infiltrada.

Além de ser algo que realmente pode comprometer a saúde de alguém, é aparentemente simples de resolver. Depois da lógica das redes sociais, no entanto, a recomendação do estudo é atender primeiro a mãe que se diz ofendida com a propaganda.

Se uma pessoa adulta realmente se sente ofendida por uma propaganda de remédio e ainda vai reclamar disso nas redes, ela certamente tem um grupo de apoio que aprova esse comportamento.

O caso realmente ocorreu. Havia um grupo de mães amigas da primeira e todas elas começaram a postar textos, *memes* e vídeos contra o remédio. São conteúdos que ativam as emoções de ódio e ansiedade contra quem fez a propaganda, o que atinge consequentemente a marca.

Depois que isso viraliza, ninguém mais sabe como começou nem o que é verdade ou não, mas fica uma sensação de que há algo de errado com o remédio. A conclusão do estudo é que as marcas devem sempre dar atenção primeiro às reclamações que provocam ansiedade e depois às que provocam desapontamento.

Isso acontece porque a gente realmente dá mais atenção àquilo que provoca ansiedade e também repassa mais esses conteúdos, com menos cuidado para apurar se são ou não verdade.

Em junho de 2022, a violência contra uma "mãe solo" ganhou destaque na imprensa nacional. Foi uma reportagem com recordes de compartilhamento em quase todos os meios de comunicação que fizeram a cobertura.

"Eu só consegui me dar conta da violência que tinha sofrido quando entrei no carro e pude chorar à vontade", diz a mãe aos jornalistas. O que teria acontecido? Segundo o primeiro relato, discriminação contra uma mãe solo em um dos bares da moda de São Paulo.

"A cena do meu filho segurando a minha mão, com olho lacrimejando, na porta do Miúda, não foi fácil de elaborar", complementou. O que seria o tal do Miúda?

Miúda é daqueles lugares em que a elite urbana progressista paga bem caro para ficar desconfortável e ter uma experiência do mais legítimo pobrismo. É um arranjo de cadeiras de praia sobre pedras de brita com tudo improvisado no local que era um estacionamento em Santa Cecília, bairro paulistano.

Ali entra bicicleta, tem show meio erótico, entra cachorro, entra de tudo. Não entra, obviamente, criança. A entrada é proibida para menores de 18 anos, como o restaurante deixa explícito em todas as suas redes e em uma placa gigante na porta.

A mãe em questão, que faz parte dessa elite diminuta de *influencers* e publicitários ligados ao identitarismo, conseguiu que um jornal publicasse sua versão dos fatos. Não publicou a do pessoal do bar.

Uma das donas, aliás, já havia sido dona de escola. Sabia direitinho que ali não é lugar de criança e acertadamente não permitiu a entrada.

Ocorre que a mãe, frustrada por não conseguir fazer o rebento de 5 anos de idade entrar numa festa só para maiores, ligou a sirene da oprimida e alegou ter sido discriminada porque é "mãe solo".

Graças a Deus não era um motel. Não duvido que a mesma versão tivesse sido publicada da mesma maneira acrítica e com forte apelo emocional. A coitada da mãe não poderia nem ir ao motel porque cuida do filho sozinha.

Essa versão delirante foi encampada por diversos *influencers*, principalmente pelo meu tipo social preferido, que é o feministo. Trata-se do homem que finge com convicção ser feminista para ter a desculpa perfeita na hora de xingar mulher ou ser machista. Ele jamais faria aquilo.

Muitos refletiram sobre a solidão da mãe solo, a impossibilidade de se divertir, a desigualdade em relação aos pais que vão aonde bem querem e deixam as crianças com as mães. Tudo isso existe sim. Ocorre que nada disso causou aquela situação.

A situação ocorreu porque a mãe esqueceu de ver se a criança poderia ou não entrar ali. Acontece nas melhores famílias. Depois de se preparar para relaxar com amigos e arrumar a criança, ela ficou frustrada quando deu com a cara na porta.

A história poderia terminar aí. Mas a mágica do identitarismo é ser a desculpa perfeita para justificar os caprichos do parque de areia antialérgica, criado sem saber ouvir um "não".

Depois, vários feministos tentaram comparar aquele ambiente aos botequins ou padarias dos anos 1980, em que pais levavam filhos livremente aos finais de semana, sem frescura nenhuma. Não permitir criança seria coisa de grã-fino, de gente fresca.

Na verdade, o caso concreto era coisa de quem tem advogados e sabe que não tem como receber crianças ali sem ter problemas. A mãe ter ficado frustrada é compreensível. Ter buscado vingança também.

O mais impressionante desse caso é grande parte da imprensa ter embarcado numa história de "opressão" em que o "opressor" é aquele que impede uma mãe de enfiar o próprio filho de cinco anos de idade num lugar em que ele não poderia entrar nem se tivesse dezessete.

Oprimida, no caso, era a criança. De qualquer forma, foi um sucesso de compartilhamentos.

É o que efetivamente ocorre com grande parte das postagens nas redes sociais. As *Big Techs* estão moldando uma sociedade de extremistas e justiceiros, já que os maiores ganhos e a maior visibilidade são de quem grita mais e com mais raiva.

Isso ficou demonstrado em julho de 2021, numa pesquisa conduzida por três dos principais nomes mundiais em psicologia neural, Jay Van Bavel, Steve Rathje e Sander van der Linden, num projeto conjunto das universidades de Cambridge e Nova York.

A publicação final tem o título *"Out-group animosity drives engagement on social media"*, ou "Animosidade entre grupos gera engajamento nas mídias sociais", numa tradução livre.

São dois os fatores determinantes para que uma publicação tenha engajamento: ser emocional e falar do grupo oposto.

Na medição geral, ficou verificado que publicações unindo as duas coisas, falando do grupo oposto de forma emocional, têm 67% mais chances de viralização do que qualquer outro tipo de publicação nas redes sociais.

Há quem alegue que isso tem menos a ver com redes sociais e mais com a alma humana. É verdade. Só que são as redes que ganham dinheiro com isso e que potencializam ativamente esse efeito.

A viralização não acontece porque as pessoas simplesmente se deparam com uma postagem. O negócio das redes é mostrar às pessoas postagens sob medida para elas passarem o máximo de tempo usando produtos da plataforma. Por isso as postagens que têm animosidade contra o grupo oposto são mais distribuídas que as outras.

Uma postagem falando do machismo estrutural contra as mães solo e atacando o patriarcado será muito mais distribuída, por exemplo, do que uma postagem dizendo que é certo não deixar criança entrar onde não entra criança.

Essa realidade de distribuição de conteúdos gera reais recompensas, em prestígio – e até *status*, desempenho profissional e remuneração – para quem costuma fazer muitas postagens do gênero.

Acabamos criando uma sociedade viciada nisso, onde pessoas que ganham notoriedade apenas por se comportarem de maneira bélica e explosiva contra grupos rivais já ganham poder.

Perceber quando estamos sendo usados e quando uma postagem parece sob medida para prender nossa atenção é um primeiro passo nessa caminhada de autoconhecimento e uso positivo das redes sociais.

a. Realismo ingênuo, o combustível da treta

Realismo ingênuo é um daqueles mecanismos da mente humana que, quando a gente aprende, deseja ter aprendido muito antes. Eu fiquei sabendo pouco tempo atrás e muita coisa passou a fazer sentido.

Esqueça o que as palavras podem evocar. Não se trata de ser ou não realista nem de apelo à ingenuidade. Trata-se de um termo técnico.

É o principal fator que leva a conflitos nas redes, segundo os autores do livro *The Power of Us: Harnessing Our Shared Identities to Improve Performance, Increase Cooperation, and Promote Social Harmony* (ainda sem tradução em português), Jay Van Bavel e Dominic Packer[5].

Realismo ingênuo é um conjunto de falsas crenças comuns de todos nós:

1. Enxergamos o mundo de forma racional e objetiva;

2. Identificamo-nos com grupos que têm visões de mundo racionais e objetivas;

3. Eu conheço mais sobre o outro do que ele sobre mim e posso até dar alguns toques sobre erros que tem cometido.

Se você está lendo sobre isso pela primeira vez, parece um pouco assustador. Realmente a gente pensa assim. Quer a confirmação? Examine suas reações passadas em casos nos quais você emitiu opiniões que julga serem razoáveis e objetivas. Inclusive pessoas do seu relacionamento não só concordam com a sua opinião mas também julgam razoável e objetiva.

Então você se depara com alguém que tem opinião contrária. Não é possível que, analisando os mesmos fatos de forma racional, a pessoa chegue a uma conclusão diferente da sua, que já foi inclusive corroborada pelo seu grupo.

É o momento em que a gente cogita se a pessoa é mal-informada, não entendeu o que a gente disse, precisa estudar mais, é preconceituosa, está cega pela ideologia, enlouqueceu, é burra mesmo, age de má-fé ou até foi paga para dizer um absurdo daqueles.

---

5 Nova York: Little, Brown Spark, 2021.

Ocorre que, por mais informada e serena seja uma opinião, não existe nenhuma avaliação humana que seja objetiva e racional. Nós somos seres emocionais que raciocinam, não o oposto.

Bom, se não existe a objetividade, apenas visões de mundo, então os identitaristas estão certos? Não. Isso leva em conta apenas o universo individual, não a convivência em sociedade. Temos de saber que a nossa visão é uma perspectiva e existe também a soma de todas as perspectivas e os processos de verificação objetiva, como o método científico.

Construiremos uma Torre de Babel se cada um compreender que apenas a sua visão de mundo é suficiente para construção da objetividade, da verdade e da racionalidade. Precisamos ter autoconhecimento e colaborar para chegar o mais próximo possível da verdade.

Uma questão muito comum é como cada um de nós supera o realismo ingênuo. A resposta é simples: não supera. Isso mesmo, não há como superar. É uma característica humana.

Não quer dizer, no entanto, que precisamos conviver com as consequências ruins dessa característica. É isso que podemos e devemos evitar.

O primeiro passo é ter a consciência de que nossas visões de mundo e nossas conclusões não são frutos apenas de fatos e objetividade, mas de toda a nossa história de vida.

É a partir das nossas experiências e valores pessoais que determinamos quais fatos são mais importantes e quais conclusões são as mais importantes em determinada situação.

Muitas questões vão nos parecer já resolvidas e nossa tendência é simplesmente rechaçar qualquer complemento, questionamento ou visão contrária. Não tem forma mais eficiente e rápida de emburrecer.

O fenômeno do realismo ingênuo frequentemente se mistura com outro viés cognitivo, o chamado efeito Dunning–Kruger, que todos nós já experimentamos na vida.

O ser humano tem uma tendência de superestimar a própria performance em campos que desconhece. Por outro lado, quando a gente estuda muito sobre um tema, tende a subestimar nossa performance naquela área.

Como o aprofundamento expande a noção do "todo", do que é o universo daquele tema, a proporção entre o que sabemos ou não vai mudando.

Imagine um castelo gigantesco, com dezenas de cômodos. Só que você não sabe da existência dele, conhece apenas uma sala. E, nessa sala, você conhece cada centímetro com precisão.

Se você imaginar que a sala é o todo do castelo, muito facilmente terá a ilusão de que sabe tudo sobre o castelo. Quanto menos você conhecer sobre ele, mais fácil será se iludir de que aquele é o todo ou, se houver algo a mais, será muito semelhante.

Agora suponha que alguém conhece 10% do castelo, umas doze salas, incluindo a que você conhece. Essa pessoa não sabe tantos detalhes da sala específica quanto você, mas tem uma outra dimensão do todo, suficiente para dizer que ela é uma absoluta exceção no castelo.

Qual dos dois está certo? Você ou a pessoa que conhece doze salas do castelo? Muita calma para responder. Existe, sim, uma possibilidade matemática maior de que a outra pessoa esteja certa, mas nenhum dos dois conhece o suficiente para ter uma visão próxima da verdade dos fatos.

Você conhece apenas uma sala. A outra pessoa conhece doze. O castelo tem trezentas salas. Não há como saber qual dos dois está certo porque nenhum dos dois tem perspectiva razoável sobre o todo.

Como resolver isso? Dar a cada coisa a proporção e o lugar que tem. Compreender quais são as suas limitações e quais são as coisas que você realmente conhece.

Aquele que terá melhor noção do todo do castelo pode não conhecer detalhes da sala específica ou do conjunto de doze salas tão bem quanto os dois primeiros interlocutores.

Se o conhecimento dos três se colocar em disputa porque cada um julga saber tudo do tema e pretende ser o dono da verdade, todos saem perdendo e ninguém chega próximo de verdade nenhuma.

Ter uma avaliação objetiva sobre nosso nível de conhecimento em cada assunto e dos nossos vieses cognitivos é algo que nos torna mais propícios a cooperar com outras pessoas e evoluir.

Não apenas o que conhece todos os detalhes de uma única sala precisa saber que há gente conhecedora de mais salas e até do todo do castelo. Aquele que conhece o todo do castelo também precisa ter em mente que há outra pessoa que domina muito mais os detalhes de uma sala específica.

Parece algo fácil e lógico, mas fica embaralhado quando queremos nos convencer de que sabemos tudo. Estar no controle da situação, ainda que de forma imaginária, nos dá tranquilidade. Mas o fato é que não controlamos a maioria das situações.

Admitir que não sabemos é desconfortável psicologicamente. Na era das redes, em que ninguém pode errar e é pecado mortal não saber tudo sobre todas as coisas, fica mais desconfortável ainda.

Grandes corporações sabem como se aproveitar da vontade de saber tudo e de ser bom, intrínsecas à condição humana, para fazer avançar seus interesses.

Um caso recente de enorme repercussão no Brasil foi a questão da "pobreza menstrual". Houve um enorme debate nacional em torno da questão. Reportagens chegaram a afirmar sem pestanejar que 28% das mulheres já deixaram de ir à aula porque não tinham absorvente. Dessas, 48% teriam tentado esconder o real motivo de faltar e 45% consideram que o fato afetou seu desempenho escolar.

É muito triste pensar que tantas mulheres precisem abrir mão de oportunidades educacionais porque não têm condições financeiras para lidar com algo natural, que ocorre todos os meses.

Utilizando o viés cognitivo do efeito Dunning–Kruger, somado com o vício pelo julgamento moral diuturno, a pessoa assume que sabe tudo sobre esse tema. Tem ali uma pesquisa, ela mostra dados chocantes.

Sabemos que o Brasil é machista, que muitas pessoas têm dificuldade até de falar a palavra menstruação em público, muito provável mesmo que isso tenha acontecido.

Ao mesmo tempo, deputadas respeitadas em todo o mundo começam a propor projetos de "dignidade menstrual", que consistem na distribuição gratuita de absorventes íntimos pelo Poder Público.

Muita gente terá sua opinião formada a partir desse momento. Precisamos imediatamente começar a distribuir absorventes porque não é possível conviver com o fato de que meninas percam oportunidades educacionais por isso.

A premissa moral está correta, realmente não se pode conviver com isso. Mas o viés cognitivo do realismo ingênuo vai formar uma parede de reações violentas contra quem fizer qualquer questionamento sobre a eficácia da solução proposta e a confiabilidade da pesquisa.

Temos, no mundo todo, diversas organizações sérias, tradicionais e com realizações concretas que lutam pelos direitos das mulheres. Como nenhuma delas tinha levantado até pouquíssimo tempo atrás algo tão importante?

Coincidentemente, essas organizações não são financiadas pelas multinacionais que fabricam os absorventes. As novas organizações que militam em torno dessa causa são formatos recentes de ONGs financiadas por um punhado de multinacionais, coincidentemente os conglomerados que produzem os absorventes.

O tradicional desse setor sempre foi reunir pessoas que acreditam numa causa e partem para financiamentos. Agora há algumas que são abertas com muito mais financiamento do que causas. É precisamente o caso da ONG que "descobriu" o problema crônico da "pobreza menstrual".

Experimente, como eu fiz, questionar o conflito de interesses dessa relação. É para esmagar esse tipo de incômodo que serve o identitarismo. Basta você questionar para encontrar uma parede de julgamentos pesados, emocionais e xingamentos. Quem ousar defender será xingado também. É uma forma eficiente de calar as pessoas que questionam o conflito de interesses e a manipulação da opinião pública.

Sob o ponto de vista do realismo ingênuo, como eu não uso *bottom* de progressista nem rezo no altar dos líderes políticos de esquerda, a pessoa já conclui que eu seja machista, contra as mulheres, antifeminista e avessa a qualquer política pública.

Ela também pensa que sabe mais de mim do que eu dela, então não imagina que meu questionamento é sobre a solução proposta e a confiabilidade da pesquisa. A pessoa fica parada antes, na ideia formada de que eu seria contra qualquer proposta favorável às mulheres porque sou uma pessoa moralmente condenável ou insensível.

A tal pesquisa foi divulgada por uma ONG criada só para combater o problema que seria descoberto pela própria pesquisa. Nunca foi feito nenhum levantamento no Brasil e esse levantamento não incluiu dados brasileiros.

A pesquisa foi paga pela fabricante de absorventes Always. A campanha pela "dignidade menstrual" foi bancada por todas as multinacionais que têm em suas *holdings* fabricantes de absorventes.

E como isso é pago? Fomentando ONGs, publicidade e campanhas de parlamentares para enfiar goela abaixo das pessoas os números da pesquisa e propor como única solução que o poder público compre absorventes.

Quando se tentou apurar algo de real no Brasil, foi verificado que a maioria dos estados já tinha programas de distribuição de absorventes. Isso existia também em diversos municípios. ONGs e até associações escolares já faziam esses programas há muitos anos.

Havia uma proposta de compra obrigatória de absorventes pelo Poder Público. Quantos seriam? Para onde iriam? Como seriam distribuídos? Quem é o público consumidor?

Fiz essas questões publicamente diversas vezes e sempre ouvi que não dava para ficar esperando essas respostas enquanto "meninas pobres da periferia, em sua maioria negras e nordestinas, estavam deixando de ir à escola por falta de absorvente".

A pessoa não sabe isso, imagina que sabe. É a união de vários preconceitos que gera a certeza consistente de que isso realmente acontece dessa maneira. Não tem como distribuir absorvente para quem precisa sem saber quem precisa. O projeto foi precisamente este, apoiado de forma acrítica pela imprensa nacional.

O mais interessante da pesquisa é a pergunta feita para se chegar, no exterior, ao número de 28% de mulheres fora da escola por falta de absorvente. Era algo genérico, do tipo "você já teve de deixar de fazer alguma atividade porque não tinha acesso a absorvente no momento?".

Ou seja, tudo conta, não apenas a falta de condições financeiras de comprar um absorvente. Até situações em que você chegou na farmácia e viu que estava sem a carteira entram na conta.

Divulgar o resultado e criar ONGs com forte impulso publicitário foi muito mais eficiente do que todas as técnicas tradicionais de *lobby* para colocar absorventes descartáveis nas listas de compras governamentais obrigatórias.

Não custa reparar que, nesse caso, a questão ambiental e as novas alternativas mais sustentáveis que começam a ganhar mercado sequer são cogitadas. Mas voltemos aos absorventes em si.

Obviamente já houve outras experiências de colocar novos produtos em compras governamentais obrigatórias. No Brasil, a que ficou mais famosa foi a inserção dos preservativos, primeiramente masculinos e depois femininos, no rol de compras para distribuição gratuita em postos de saúde.

Foi uma solução surgida depois da descoberta do HIV. Não existe nenhum recorte social para que se tenha acesso aos preservativos, que são distribuídos livremente em todas as unidades básicas de saúde.

A Câmara dos Deputados disponibiliza até para o público, via internet, a extensa documentação de como isso foi feito. Primeiramente, houve uma intervenção econômica para baixar o preço final dos preservativos. Isso incluiu negociações federais e dos estados sobre cobrança de impostos.

Já que o produto passaria a ser comprado em larga escala com dinheiro público, era interessante que isso pudesse ser feito pelo menor valor possível.

Houve também estudos de logística de entrega e distribuição. Como o Brasil tem sistemas de Saúde e Educação capilarizados e interligados, não é tão complicado assim saber qual a demanda em qual ponto específico do país.

No ano de 2012, a indústria tentou colocar absorventes como itens da "Cesta Básica" do governo. Não é aquela cesta que se distribui às pessoas, mas um rol de produtos com taxação diferenciada por serem considerados de necessidade básica do cidadão.

A presidente Dilma Rousseff vetou a ideia com a justificativa de que não havia interesse público no tema. Embora possamos julgar que absorvente é uma necessidade básica, é verdade que os pedidos oficiais, a documentação efetivamente analisada pela presidência, não demonstravam a demanda específica pela compra do governo.

Agora, a demanda continua sem nenhuma demonstração. Também não há nenhuma demonstração de efetividade da solução proposta, que é a de colocar os absorventes na lista de compras governamentais obrigatórias sem redução prévia de taxação ou preço.

Ainda assim, você cria um clima de falso consenso a partir do silenciamento ou do ataque moral a quem questionar qualquer ponto da "boa intenção".

Nessa nova modalidade de *lobby*, é perfeitamente possível fazer uma legislação que favorece agentes econômicos e não comprova solucionar o problema que diz atacar.

Basta você utilizar o identitarismo, esse produto que coloca as grandes corporações como agentes de justiça, no lugar da sociedade civil, das organizações não governamentais e das instituições públicas.

Se você tem mais de trinta anos de idade, seguramente percebe a diferença de ambiente antes e depois das redes sociais. Viveu pelo menos parte da sua vida adulta sem que elas fossem tão populares.

A velocidade das relações mudou. Experimente visualizar uma mensagem no WhatsApp e não responder no tempo que seu interlocutor considerar adequado. É um pandemônio.

A pessoa pode julgar que você tem algo contra ela, que não quer responder, imaginar toda uma situação negativa. Ou pode realmente confiar em você e imaginar que aconteceu algo grave, por isso não há resposta.

Ambas as hipóteses podem desencadear ações. E, na verdade, pode ser que você estivesse numa reunião, tenha lido e esteja esperando um momento livre para responder.

Todo mundo já esteve nessa situação. Por menos que a gente goste de admitir, tanto de um lado quanto de outro. Inclusive a minha geração e as anteriores, que cresceram entendendo o tempo e a incerteza de outra forma.

Falar com alguém, até meados de 2010, quando chegam com força os aplicativos de mensagem gratuitos no celular, era algo que dava um pouco mais de trabalho.

Isso faz com que as motivações para interagir com alguém também tivessem de ser mais importantes. Não era qualquer impulso que nos faria ter toda aquela mão de obra.

Quando a gente queria falar com um amigo no século passado, o jeito mais fácil era o telefonema. Depois de ligar, havia três hipóteses:

o número estava ocupado, tocava e ninguém atendia ou tocava e alguém atendia.

Esse alguém é qualquer pessoa que morasse na casa, não necessariamente aquela com quem você queria falar. O interlocutor que você deseja poderia estar ou não em casa. Inclusive as mães já treinavam a gente para dizer que elas estavam no banho ou tinham saído a depender do chato que chamava.

Não era incomum precisar avisar algo a um conhecido, ligar e ouvir a resposta: "que pena, ele acabou de sair". A vida seguia sem que ninguém se abalasse. Uma hora você falaria com a pessoa.

Esse senso de urgência para todas as pequenas coisas afeta desde as relações mais íntimas até nossa vida profissional e a participação cidadã e cívica.

O conceito de jornada de trabalho de oito horas diárias vem da ideia de que as pessoas pudessem dividir o tempo em três partes, todas igualmente importantes para um ser humano.

O trabalho nos toma um terço, outro terço é para família e desenvolvimento pessoal e o último para descanso, uma necessidade básica.

A hipercomunicação modifica completamente dois fatores fundamentais das relações humanas, a forma de lidar com o tempo e o distanciamento físico. Como isso ocorre simultaneamente, o desafio da nossa era é ainda maior.

Presença física sempre foi muito ligada à presença mental. Estar perto fisicamente significa desenvolver laços e afetos. Estar em um lugar determina a qual atividade você vai se dedicar.

Claro que todos conhecemos aqueles casos lindíssimos de amor a distância que venceram a separação e o tempo. Mas sempre foram raros a ponto de virar símbolos. Um ponto importante é a necessidade de um sentimento extremamente forte para vencer essas barreiras.

Agora essas barreiras praticamente não existem no nosso imaginário. E a grande questão é que, na prática, elas continuam existindo. Ainda estamos em fase de adaptação.

Eu vivi a fase em que você se dedicava totalmente ao seu trabalho quando estava no ambiente de trabalho. Então batia o ponto no relógio de ponto, ia embora e cuidava da sua vida pessoal e da sua família de forma intencional e presente.

Hoje são linhas que se borram, sobretudo depois da pandemia. Muita gente relata a sensação de trabalhar o tempo todo, sem pausa. O trabalho nos alcança na mesa de almoço de domingo. Os filhos nos alcançam no meio de uma reunião importantíssima de trabalho.

Organizamos nossa participação nesses mundos tendo o distanciamento físico como premissa, só que ele não existe mais.

Obviamente que, se acontecesse algo grave comigo nos anos 1990, eu poderia interromper uma reunião de trabalho do meu pai. O processo para que isso acontecesse exigia que a questão fosse realmente importante.

Hoje, meu filho me manda piadas pelo WhatsApp quando eu estou apresentando um programa ao vivo. Para a geração dele, o mundo é assim. Existe acesso o tempo todo aos membros da família.

Da mesma forma, sempre foi possível que o momento com a família fosse interrompido por questões de trabalho. Mas o processo para que isso acontecesse nos conscientizava do que estava ocorrendo ali.

Agora não é incomum receber um *e-mail* ou uma mensagem de WhatsApp à noite, no meio do final de semana, lembrando de algo para a semana seguinte ou cobrando algo que ficou pendente.

Tempo e distância são dois fatores que, sozinhos, já fazem com que a tecnologia seja um desafio enorme para as relações humanas. E isso tem impacto desde o maior nível de intimidade até os movimentos de grupo e políticos.

Ocorre que o desenvolvimento tecnológico não para e nunca foi tão rápido como agora. Antes que sejamos capazes de reconhecer os primeiros desafios que ele nos traz, ele já apresenta outros, ainda mais intrincados.

CAPÍTULO 5

ALFABETIZAÇÃO NA LÍNGUA DO ALGORITMO

Será que nós somos realmente alfabetizados? A dúvida parece ridícula. A julgar pela definição clássica, em que alfabetizado é quem sabe ler e escrever, a resposta é óbvia. Você está lendo este texto, eu escrevi.

Em 1961, foi formada uma coalizão de países chamada Organização para a Cooperação e Desenvolvimento Econômico, que hoje tem 38 membros. É um observador internacional das Nações Unidas que tem a missão de identificar boas políticas, práticas que possam ser replicadas e desafios comuns a serem superados para melhorar o Índice de Desenvolvimento Humano.

Para a OCDE, a habilidade mais importante a ser desenvolvida em um ser humano é a alfabetização. "A capacidade de leitura não é apenas o fundamento para obter bons resultados em outras áreas do sistema educacional, mas também um pré-requisito para a participação com sucesso na maioria das áreas da vida adulta", diz a OCDE.

Capacidade de leitura parece ser uma definição da qual o senso comum dá conta. É conseguir ler e escrever. Já foi assim. Nesse universo imerso em tecnologia, as coisas estão mudando.

Sempre ouvimos falar na imprensa de um teste internacional de avaliação de estudantes, o PISA, no qual a nota do Brasil é invariavelmente desanimadora. É o Programa Internacional de Avaliação de Estudantes da OCDE, feito sempre com alunos de 15 anos de idade.

São avaliadas apenas as habilidades consideradas centrais para o aprendizado, o desenvolvimento humano e a participação cidadã. Ou seja, capacidade de leitura e de cálculo matemático.

A tecnologia influencia de forma decisiva o que a OCDE considera que seja capacidade de leitura. Desde o ano 2000, essa definição teve várias modificações devido à influência do avanço tecnológico:

2000

"Capacidade de leitura é entender, usar e refletir sobre textos escritos, de forma a que o indivíduo atinja os próprios objetivos de desenvolvimento de conhecimento e potencial e participe na sociedade".

2009

"Capacidade de leitura é entender, usar, refletir sobre *e interagir* com textos escritos, de forma a que o indivíduo atinja os próprios objetivos de desenvolvimento de conhecimento e potencial e participe na sociedade".

2018

"Capacidade de leitura é entender, usar, *avaliar*, refletir sobre e *interagir* com textos de forma a que o indivíduo atinja os próprios objetivos de desenvolvimento de conhecimento e potencial e participe na sociedade".

São três mudanças, conforme fica claro nos grifos. Primeiro se adiciona à capacidade de leitura a habilidade de interagir com os textos. Depois, a de avaliar os textos. Então, é expandido o significado dos textos, que não são mais apenas os escritos, mas todas as modalidades possíveis de comunicação digital, incluindo fotos, montagens, *memes*, vídeos e até *deep fakes*.

Essa é a definição da OCDE, vamos agora à forma de medir a capacidade de leitura. O ponto de partida são as três habilidades básicas:

1. Localizar informação: acessar e colher informação em um texto, procurar e selecionar textos relevantes;
2. Compreender: representar o sentido literal, compreender conclusões e fazer as próprias conclusões;
3. Avaliar e refletir: avaliar qualidade e credibilidade, refletir sobre forma e conteúdo, detectar conflitos e lidar com eles.

A capacidade de cada pessoa pode variar em cada uma dessas habilidades. É dessa combinação que o PISA faz uma escala de sete níveis diferentes de alfabetização.

Cada um dos níveis engloba as habilidades previstas nele e também todas as outras dos níveis anteriores. Eles são: 1b, 1a, 2, 3,

4, 5 e 6. Somente os que estão nos níveis 5 e 6 conseguem diferenciar plenamente fatos de opinião na era da hipercomunicação.

Segundo a última avaliação do PISA, entre estudantes brasileiros com 15 anos de idade, era uma habilidade restrita a 2%. Isso dá uma medida do caos de informações e da necessidade psicológica de busca por verdades absolutas e falsos consensos.

Por curiosidade, trago os detalhes das habilidades esperadas em cada um dos sete níveis de capacidade de leitura do PISA:

Nível 1b*:* localizar uma peça única de informação explícita colocada em local evidente, num texto curto e com simplicidade sintática, em contexto e tipo que conhece bem, como narrativa ou listas simples. São textos que geralmente dão apoio ao leitor, repetindo a informação ou adicionando fotos e símbolos familiares. Os leitores podem interpretar os textos fazendo conexões simples entre informações parecidas;

Nível 1a*:* localizar mais que uma peça de informação explícita, reconhecer o tema principal e o propósito do autor em um texto sobre tema que domina ou fazer uma conexão simples entre a informação do texto e o conhecimento do cotidiano. São textos em que a informação principal é bem destacada e o leitor é explicitamente direcionado a ela, sem levar em conta ou havendo um mínimo de informações conflitantes;

Nível 2*:* localizar uma ou mais peças de informações. Poder reconhecer a ideia principal em um texto, entender relações ou interpretar significados em uma parte limitada do texto mesmo quando a informação não é tão explícita e necessita um pouco de raciocínio. Nesse nível, as tarefas envolvem comparações ou contrastes baseados em um único elemento do texto. A reflexão típica deste nível requer fazer comparações ou conexões entre o texto e conhecimento externo, recorrendo à experiência e atitude individual;

Nível 3*:* localizar e, em alguns casos, reconhecer relações entre várias peças de informações. Integrar várias partes de um texto em ordem para identificar a ideia principal, entender a relação ou interpretar o significado de uma frase ou palavra. É preciso levar em conta vários fatores para comparar, contrastar ou categorizar. A informação não é tão evidente ou há competição de informações, como obstáculos no texto, por exemplo, ideias que são contrárias às expectativas ou expressas em formato de negação. A reflexão requer conexões, comparações e explicações ou a avaliação de um elemento do texto. Necessário demonstrar bom conhecimento do texto com relação ao conhecimento familiar e cotidiano. Não chega a requerer compreensão detalhada do texto, mas pelo menos busca de apoio em senso comum;

Nível 4: localizar e organizar várias peças com informação embutida. Interpretar nuances de linguagem de parte do texto comparando com o todo. Compreensão e categorização de textos num contexto em que não está familiarizado. Capacidade de criar hipóteses ou avaliar o texto de forma crítica usando conhecimento do senso comum ou acadêmico. Demonstrar grande compreensão de textos longos e complexos com cujo conteúdo ou forma não tem familiaridade;

Nível 5: localizar e organizar várias peças com informação profundamente embutida, concluindo quais informações no texto são relevantes. Reflexão por meio de criação de hipóteses ou avaliação crítica a partir de conhecimento especializado. Entender completamente e em detalhe texto cujo conteúdo ou forma não é familiar. Nesse nível – e não nos anteriores – o leitor é capaz de lidar com conceitos que são contrários às suas expectativas ou crenças;

Nível 6: capacidade de tirar múltiplas conclusões, fazer comparações e contrastes que são detalhados e precisos. Completo e detalhado entendimento de um ou mais textos e integrar informação de mais de um texto. Lidar com ideias não familiares na presença de informações explícitas que concorrem com elas e gerar categorias abstratas para interpretações. Criar hipóteses ou fazer avaliações críticas do texto sobre um assunto em que não são familiarizados, levando em conta múltiplos critérios e perspectivas e aplicando entendimento sofisticado para além do que está no texto. Uma condição importante para identificar e realizar tarefas neste nível é a precisão de análise e a atenção fina ao detalhe que é quase imperceptível nos textos.

A informação é tratada como se fosse uma cebola, algo que tem várias camadas diferentes entre si. Quanto mais a pessoa consegue se aprofundar nesse processo, mais ela tem o domínio do conhecimento de leitura e escrita para se posicionar no mundo.

Quanto maior o domínio da leitura, menor a ideia de verdade absoluta e maior a capacidade de compreender aquilo que é diferente das nossas crenças e valores.

Ainda há um outro fator no caminho entre o cidadão desse mundo da hipercomunicação e a capacidade de leitura, a existência dos algoritmos das redes sociais.

A maioria das pessoas pensa que posta o que quer e isso é automaticamente distribuído para seus seguidores. Da mesma forma, escolhe quem seguir e automaticamente recebe o conteúdo desses perfis.

Essa crença falsa distorce completamente a leitura do contexto em que a pessoa se encontra, da natureza dos fenômenos que analisa e compromete a tomada de decisão sobre como agir.

O negócio das redes sociais é a intermediação entre postagens e distribuição de conteúdo. Você vai receber o tipo de conteúdo que o fará interagir mais e passar mais tempo usando produtos da plataforma, não aquilo que você decidiu seguir.

a. Como funcionam os tais algoritmos

Talvez você não compreenda como funciona o tal do algoritmo e nem queira compreender. Saiba que não precisa entender de tecnologia a fundo para navegar nesta era digital, precisa entender de gente.

Eu defendo que é urgente trazer cada vez mais pessoas com experiência de vida para este debate. As pessoas mais velhas e mais experientes têm sido deixadas de lado nas discussões por supostamente não entenderem o suficiente de tecnologia.

Acabamos, como sociedade, com duas visões mancas. Os mais jovens entendem de tecnologia mas não têm experiência com gente. Os mais velhos têm experiência com gente e acabam assustados com a tecnologia.

As chamadas *"Big Techs"*, gigantes da área de tecnologia, já unem esses talentos. Hoje, elas empregam mais especialistas em comportamento humano e funcionamento do cérebro do que técnicos em TI.

A grande beleza da tecnologia é que ela nos dá o que pedimos. E a grande desgraça também é essa, ela nos dá exatamente o que pedimos. Precisamos aprender a pedir.

Ainda estamos em fase de adaptação e esse aprendizado passa mais por compreender a dinâmica dos relacionamentos humanos do que por entender a fundo de tecnologia.

O que é, afinal, um algoritmo? É uma sequência finita de instruções precisas para ações executáveis que levarão à solução de uma situação específica. O "idioma" dele é em forma de sentença matemática.

Ficando com essa definição em mente, vamos ao nosso conhecimento sobre pessoas. Empresas existem para ganhar dinheiro desenvolvendo inovações que resolvam problemas específicos.

Qual é o problema que as redes sociais resolvem? Elas fazem com que o anúncio publicitário chegue às pessoas que efetivamente têm maiores chances de comprar um produto.

E como elas ficam sabendo disso? Coletando nossos dados, todo tipo. Desde gravar o microfone do celular o tempo todo até os lugares por onde andamos, para onde olhamos quando rolamos a tela, os movimentos dos nossos dedos, no que clicamos, o que compartilhamos. São milhares de pontos de coleta de dados.

Saber disso dá uma sensação de invasão, como se tivesse alguém o espionando. Em tese, até seria possível. Ocorre que não dá dinheiro e essas empresas são bilionárias, um ramo econômico que enriqueceu com uma velocidade inédita na história.

Essas informações coletadas de cada um de nós não são revisadas por seres humanos, são submetidas à inteligência artificial. É uma rede complexa de diversos algoritmos utilizados para chegar ao resultado desejado por quem os programa.

O primeiro resultado desejado é manter as pessoas usando produtos da plataforma o maior tempo possível para coletar o maior número e a maior variedade possível de dados sobre aquela pessoa.

Estamos na era em que tudo virou julgamento moral. Tente não embarcar nessa. Esse sistema é como tudo o que envolve seres humanos, pode ser utilizado para o bem ou para o mal, a depender de quem comanda e da ingenuidade de quem se deixa comandar.

Suponha que você criou uma marca de cosméticos e quer anunciar seus produtos. Na mídia tradicional, você escolheria o público–alvo mais provável. Seriam mulheres de determinada faixa etária, com a renda que se avalia sob medida para a clientela.

Os produtos seriam exibidos para elas em propagandas de revistas, jornais, rádio e televisão, sem nenhum controle sobre quantas mulheres efetivamente tiveram contato com o anúncio.

No formato tradicional, esse anúncio precisava estimular a consumidora a sair de casa, lembrar da marca e fazer uma compra física. O sucesso da ação de *marketing* levaria em conta o total investido e o retorno de vendas, sem dados muito claros do que aconteceu no meio desse caminho.

As redes sociais têm informações preciosas sobre cada um dos usuários. Não há necessidade de imaginar um público-alvo, é possível saber quem são os perfis específicos que estão mais propícios a comprar um produto da sua marca de cosméticos.

Seu anúncio pode chegar, por exemplo, a um homem de 50 anos de idade, viúvo, que busca um presente para a filha e já pesquisou sobre marcas de cosméticos com as características da sua. E há ainda a facilidade de promover a compra com um clique, sem requerer ações extras.

Os relatórios mostram exatamente quem recebeu o anúncio, por quais razões, qual a porcentagem de usuários que interagiu com ele e qual a fatia de consumidores que efetivaram uma compra.

Durante a pandemia, muita gente que perdeu o emprego se reergueu criando lojas no Instagram. Essas ferramentas de *marketing* foram utilizadas por cidadãos comuns, que teriam muita dificuldade de criar um negócio nesse período.

No entanto, como conseguiam chegar à intimidade dos consumidores, entender como eles pensam e do que necessitam, puderam construir seus negócios.

E o que isso tem a ver com política, identitarismo, manipulação da opinião pública e criação artificial de movimentos? Tudo. O mecanismo é o mesmo, basta dar outro uso.

Interagir com um conteúdo é qualquer reação a ele. Clicar em cima, compartilhar, dar *like*, dar *deslike*, dar *print* e comentar – falando bem ou xingando – são formas de interação. Denunciar esses conteúdos à plataforma por alguma razão que você julgue grave também significa interação.

Interagir é apenas gastar mais tempo com algo na plataforma. Todas as vezes em que você dedicar sua atenção a alguma coisa, a rede social fará com que apareça na sua *timeline* mais conteúdo do mesmo tipo, com o objetivo de manter você usando.

Por isso se usa muito o termo Economia da Atenção. É esse o principal ativo que move o universo digital.

Pessoas que vivem xingando algum tipo de conteúdo na internet receberão das redes sociais toneladas do mesmo tipo de conteúdo. É o necessário para que elas interajam e continuem usando a plataforma.

O uso político desses dados é interessante porque dribla o nosso imaginário. Pensamos que política se trata de convencimento, de disputa pela verdade. Até pode ser, mas é um mecanismo muito menos eficiente que a manipulação emocional com base nos dados coletados.

Dou um exemplo comercial para facilitar a compreensão, já que estamos em tempos de ficar cegos por paixões ideológicas. Diversos especialistas dizem que os algoritmos das redes já são capazes de detectar com precisão alguns transtornos psicológicos.

Em pessoas com transtorno bipolar, por exemplo, é possível saber antes da família e dos médicos quando o paciente passa da fase de mania para depressão e vice–versa.

Com essa informação em mãos, há uma decisão executiva a ser feita pela empresa. O que será feito a partir dessa descoberta? É possível lançar uma ferramenta que avise os pacientes sobre essa mudança de estado.

Seria, no entanto, algo muito trabalhoso. É um produto médico, que depende de pesquisas caras comprovando sua eficácia. Estamos também falando de sistemas que têm falhas, não são perfeitos. As consequências dessas eventuais falhas são flancos abertos no negócio.

Imagine que o sistema falhe com um paciente específico. Não é uma falha, vai ter consequências reais na vida de uma pessoa. Para além da questão humana e ética, isso gera risco de processos judiciais que podem custar uma fortuna e inviabilizar o projeto.

As *Big Techs* não são empresas da área de saúde, são da área de propaganda e *marketing*. Talvez fosse mais inteligente buscar algum produto dessa área que pudesse ser lançado com base na habilidade verificada.

Pessoas bipolares têm muito mais chances de fazer compras de luxo – como roupas de marca, viagens e carros – se estiverem passando da fase depressiva para a maníaca. Essas chances aumentam se elas receberem postagens de conhecidos fazendo essas compras.

Seria algo moralmente condenável colocar pessoas com transtornos psiquiátricos deliberadamente como alvos de propaganda. Mas isso nem é necessário. Basta não programar o algoritmo para eliminar esses casos específicos daqueles que mais provavelmente farão a compra.

O algoritmo é programado para mostrar os anúncios de roupas de marca, viagens e carros a todos aqueles que a inteligência artificial avalie que tenham mais potencial de compra, sem excluir os que possam ter problemas mentais.

Também começa a exibir mais postagens de amigos que envolvam roupas de marca, viagens e carros a todas as pessoas, sem excluir aquelas identificadas como potencialmente com problemas mentais.

Embora moralmente seja uma decisão difícil, não parece que na dinâmica atual funcione assim. Isso ocorre sobretudo porque não há transparência nos algoritmos utilizados e nem a sociedade compreende muito bem o poder que eles têm.

A chance de alguém reclamar disso é muito diminuta. E, mesmo quando psiquiatras apresentam publicamente essas reclamações, pouquíssimas pessoas compreendem o que eles estão falando. O produto tem risco praticamente zero e entrega aquilo a que se propõe, as vendas.

Vamos agora à política e aos movimentos da sociedade dentro desse mesmo mecanismo. Em 2019, o radialista conservador Dennis Prager foi alvo de risadas no programa de Bill Maher, que também é conservador. Ele dizia que, em breve, pessoas seriam canceladas por transfobia se negassem que homens menstruam. Faço questão de transcrever.

> **Dennis Prager** – Essas são mentiras gigantes da esquerda. Dizer que homens podem menstruar é uma mentira. E isso agora é… Isso é o que eu disse!
>
> O público vai às gargalhadas. Bill Maher também. Os demais convidados não conseguem parar de rir.
>
> **Dennis Prager** – Confiram isso. Confiram isso. Todo mundo que disser que um homem não pode menstruar será considerado transfóbico.

Bill Maher – Eu perdi essa história toda. De onde você tira isso?
As gargalhadas prosseguem, cada vez mais altas.

Dennis Prager – Só coloca no Google. Coloca no Google isto: homens podem menstruar?

Bill Maher – *Tá bom, mas quem está dizendo isso? Você está falando de uma porcentagem muito pequena...*

Dennis Prager – Isso é o que você diz. Mas como você permite que homens biológicos concorram contra mulheres nas corridas em Connecticut e batam todos os recordes do ensino médio? Eles são homens, mas a nação decidiu que não são e agora eles estão lá competindo com elas.

Bill Maher – Eu até concordaria com você nisso, mas a maneira como você enquadrou eu diria que é *nonsense*.

Dennis Prager – Eu enquadrei perfeitamente.

Bill Maher – *Não, você não enquadrou. O que você está dizendo é que alguém que é transgênero e foi um homem e agora diz que é uma mulher. E, como uma mulher, o*.k.? Como uma mulher eles estão acabando com outras mulheres na corrida. Claro, porque eles têm mais massa muscular. Até a Martina Navratilova veio dizer que isso é ridículo, eles não podem estar nos esportes femininos. Mas isso está muitíssimo longe de dizer que homens podem menstruar.
A plateia gargalha novamente.

Dennis Prager – Eu concordo.

Bill Maher – Mas esse seu ponto não é onde ninguém foi até agora além de você.

Dennis Prager – No banheiro masculino da Universidade de Berkeley, absorventes internos são distribuídos. Confira. Os banheiros da Universidade de Berkeley, Califórnia, têm dispensadores de absorventes internos.

Bill Maher – É provavelmente porque homens são paus–mandados e as namoradas deles mandam eles pegarem absorventes para elas.
O público gargalha e aplaude.

Bill Maher – É por isso. É muito mais lógico. Está bem, vamos em frente. Dennis, eu me lembro de você no programa antigo. Você era muito mais razoável.

Até Dennis Prager ri agora.

Bill Maher – Você diz que nós pensamos que homens podem menstruar e ninguém pensa isso. [...]

Dennis Prager – Eu vou fazer uma aposta de que o movimento LGBTQ vai ter uma afirmação normativa de que homens podem menstruar.

Na recente discussão sobre "pobreza menstrual", foram fartas as intervenções de figuras progressistas advertindo que não poderíamos nos esquecer dos homens que menstruam.

Em pouquíssimo tempo, a conversa foi além e acaba de quebrar um tabu em uma das mais acaloradas discussões progressistas, a da legalização do aborto.

É uma pauta que teve duas profundas mudanças de fundo. Enquanto o identitarismo ainda segue no ciclo de calar pessoas acusando de apoio ao patriarcado e transfobia, imagina estar ganhando. Ocorre que não está.

O primeiro ponto é trazer para o debate o conceito de "aborto tardio", ou seja, aquele em que o feto teria condições de sobreviver fora do corpo da mãe. A discussão sobre legalização do aborto nunca foi essa. Nem as pessoas favoráveis ao aborto falavam disso.

A questão central da autonomia da mulher sempre foi determinar se a vida do feto seria viável ou não de forma independente. É com essa base de raciocínio que as pessoas se posicionavam contra ou a favor da legalização.

Os que creem que a vida começa na concepção são contrários. Os que creem que o início da vida seja o ponto em que o feto é viável fora do corpo da mulher são favoráveis à legalização até esse ponto.

Desde a derrubada pela Suprema Corte dos Estados Unidos da sentença Roe *vs.* Wade, a base da discussão mudou. Agora se fala com naturalidade em "abortos" no último trimestre de gestação, quando o feto já sobrevive fora do útero.

Ainda que muitos argumentem ser uma minoria exígua de casos, é uma mudança filosófica e argumentativa de vulto. Não falamos mais em início da vida, levando em conta que abortos, em tese, não tirariam vida. No raciocínio progressista, se o feto é inviável fora do corpo da mulher, não é uma vida.

Agora se fala abertamente na eliminação de vidas viáveis fora do corpo da mulher. Se começamos a julgar correto eliminar uma vida viável no último trimestre, por que não seis meses depois do nascimento? O parâmetro da discussão foi totalmente solapado.

O outro ponto a ser mudado é de que se tratava de uma discussão de mulheres. Passamos a vida ouvindo que, se homens engravidassem, o aborto seria legalizado e fácil de se fazer em qualquer farmácia sem prescrição médica.

Nos últimos anos, entrou muito rapidamente nessa discussão a militância trans, dizendo que homens também engravidam. Pessoas que nasceram com sexo biológico feminino mas se identificam com o gênero masculino são homens e engravidam. Isso daria a todos os homens o direito de opinar sobre aborto? A confusão está instaurada.

Em julho de 2022, um comitê do Senado dos Estados Unidos foi feito para discutir a questão do aborto no terceiro trimestre. A professora de direito da Universidade de Berkeley Khiara Bridges foi uma das *experts* chamadas ao debate.

A questão central era decidir se o feto viável fora do útero seria um sujeito de direitos e deveria ter seus direitos respeitados. Muito rapidamente, a questão virou outra completamente diferente, saber se homens podem ou não opinar.

Os progressistas comemoraram efusivamente na *internet* a "lacrada" da professora em cima de um senador republicano. A reprodução do diálogo, no entanto, mostra que ninguém fora da bolha progressista é capaz de entender o argumento dela ou onde pretende chegar além de calar qualquer questionamento.

Senador Josh Hawley – A senhora usou várias vezes uma frase cujo significado quero entender. A senhora fala de "pessoas com capacidade para gravidez". Seriam mulheres?

Professora Khiara Bridges – Muitas mulheres, mulheres cis, têm a capacidade para a gravidez e muitas mulheres cis não têm a capacidade para a gravidez. Também há homens trans que têm a capacidade para a gravidez assim como pessoas não binárias que têm a capacidade para a gravidez.

Senador Josh Hawley – Então isso não é exatamente uma questão de direitos das mulheres...

Professora Khiara Bridges – *Nós podemos reconhecer que isso impacta as mulheres enquanto também reconhecemos que isso impacta outros grupos. Essas coisas não são mutuamente excludentes, senador Hawley.*

Senador Josh Hawley – Então sua visão sobre o tema, esse direito, é sobre o quê?

Professora Khiara Bridges – Então, eu quero reconhecer que sua linha de questionamento é transfóbica e expõe pessoas trans à violência por não reconhecê–las...

Senador Josh Hawley – A senhora está dizendo que eu estou expondo pessoas à violência por perguntar se mulheres são as pessoas que têm capacidade para a gravidez?

Professora Khiara Bridges – Eu quero registrar que uma em cada cinco pessoas transgênero tentou o suicídio, então eu acho...

Senador Josh Hawley – Por causa da minha linha de questionamento? Então a gente não pode falar sobre isso?

Professora Khiara Bridges – Porque negar que pessoas trans existem e fingir não saber que elas existem...

Senador Josh Hawley – Eu estou negando que pessoas trans existem perguntando a você se você está falando sobre direitos das mulheres e mulheres ficando grávidas?

Professora Khiara Bridges – Você está? Você está? Você acredita que homens podem ficar grávidos?

Senador Josh Hawley – *Não, eu não acho que homens podem ficar grávidos.*

Professora Khiara Bridges – (A professora ri.) Então você está negando que pessoas trans existem...

Senador Josh Hawley – E isso vai levar *à* violência? É assim que você conduz suas aulas? Os alunos têm permissão de questionar a senhora ou eles também são tratados assim, acusados de expor pessoas *à* violência por questionar a senhora?

Professora Khiara Bridges – Você deveria vir a uma das minhas aulas, você aprenderia muito.

Senador Josh Hawley – Claro que eu aprenderia muito. Eu aprendi muito com essa troca, foi extraordinária.

Meses antes, em março de 2022, a audiência no Senado com a ministra da Suprema Corte Ketanji Brown Jackson teve uma saia justa quando ela se recusou a definir o que é uma mulher.

A senadora Marsha Blackburn citou um julgamento da ministra ícone do progressismo Ruth Bader Ginsburg, falecida em setembro de 2020. O caso era uma decisão no âmbito das forças armadas em que ela estipulava a diferença biológica entre homens e mulheres e a diferença cultural de uma comunidade mista e uma comunidade onde apenas um dos sexos é predominante.

Quando falamos das pessoas trans, geralmente o identitarismo faz uma confusão proposital para calar questionamentos, mistura sexo biológico com gênero. São coisas diferentes.

Senadora Marsha Blackburn – A senhora concorda com a ministra Ruth Ginsburg que há diferenças físicas entre homens e mulheres que são duradouras?

Ministra Ketanji Brown Jackson – Ahmmm… senadora… Respeitosamente, eu não estou familiarizada com esta citação específica ou este caso, então é difícil para mim comentar se está correto…

Senadora Marsha Blackburn – Ok. Eu adoraria saber sua opinião sobre isso e você pode responder a isto: você interpreta a descrição da ministra Ginsburg sobre homens e mulheres como machos e fêmeas?

Ministra Ketanji Brown Jackson – Novamente, como eu não conheço o caso, eu não sei como interpretar. Eu preciso ler o arquivo completo.

Senadora Marsha Blackburn – A senhora pode nos dar uma definição para a palavra mulher?

Ministra Ketanji Brown Jackson – Se eu posso dar uma definição? Não. Não posso.

Senadora Marsha Blackburn – A senhora não pode?

Ministra Ketanji Brown Jackson – *Não nesse contexto. Eu não sou bióloga.*

Senadora Marsha Blackburn – O significado da palavra mulher é tão obscuro e controverso que a senhora não pode me dar uma definição?

Ministra Ketanji Brown Jackson – Senadora, no meu trabalho como juíza o que eu faço é resolver conflitos. Se há um conflito sobre a definição, as pessoas argumentam, eu cotejo com a lei e eu decido.

Senadora Marsha Blackburn – O fato de que a senhora não pode me dar uma resposta direta sobre algo tão fundamental como a definição do que é uma mulher sublinha os perigos da educação progressista de que estamos ouvindo falar.

Semana passada, uma geração inteira de meninas jovens assistiu enquanto nossas instituições financiadas pelos pagadores de impostos permitiram que um homem biológico competisse contra e ganhasse de uma mulher biológica no Campeonato de Natação da NCAA. Que mensagem a senhora pensa que isso leva a meninas que aspiram competir e ganhar nos níveis mais altos dos esportes?

Ministra Ketanji Brown Jackson – Senadora, eu não sei que mensagem isso passa. Se a senhora me perguntar sobre as questões legais relacionadas a isso, esses são temas que estão em discussões quentes e podem vir à Suprema Corte, então...

Senadora Marsha Blackburn – Eu acho que diz às nossas meninas que as vozes delas não importam. Eu acho que diz a elas que são cidadãs de segunda classe. E eu penso que os pais querem ter uma ministra da Suprema Corte que proteja a autonomia parental e proteja as crianças da nação.

O clima moralista faz um sarapatel de coruja com sexo biológico, gênero e orientação sexual. Ao mesmo tempo em que existe uma recusa de definir objetivamente o que seja uma coisa e outra, alegar transfobia e homofobia estanca questionamentos.

Menstruar e engravidar são condições inerentes ao sexo biológico feminino ao nascimento. Como tudo na ciência, existem nuances.

A doutora em genética Luciana Feliciano me contou certa vez um caso dificílimo de lidar sob o ponto de vista humano e da convivência. Uma moça prestes a casar tinha problemas de fertilidade.

Fez exames e descobriu que, biologicamente, seus cromossomos eram masculinos. Tinha corpo de mulher, era uma mulher, foi criada como mulher. Jamais imaginaria ser essa exceção absoluta da natureza em que há uma alteração desse tipo.

Só que isso foi uma bomba atômica em seu relacionamento. O parceiro teve muita dificuldade para compreender que, cientificamente, sua noiva era um homem biológico. E ela não tinha órgãos sexuais masculinos. São experiências legítimas da existência humana que precisamos compreender e acolher.

O identitarismo borra essas realidades e nuances. Mistura o sexo biológico com a identificação de gênero e a orientação sexual. Uma pessoa que nasceu com o sexo biológico feminino e engravida pode se definir como um homem trans. Isso não faz, no entanto, que possamos considerar que homens engravidam.

Eliminar nuances e fazer julgamentos morais pesados com base nisso é uma característica da formação de grupos sociais e políticos via redes sociais.

São grupos que dão às pessoas a impressão de fazer parte deles mesmo à distância, sem nenhum contato ou laço afetivo com os demais membros. Ao mesmo tempo, incentivam que, com base em afirmações moralistas, sejam quebrados os laços com os que estão fisicamente próximos.

O controle de discurso e o clima de normalidade diante das declarações mais absurdas mostram que a convivência não é mais o grande amálgama da sociedade. As grandes corporações de tecnologia conseguem moldar grupos sociais e discursos de poder.

Imaginar que isso se faz por convencimento só facilita o trabalho. Aqui não tratamos de disputa pela verdade, já que o cenário torna impossível até definir o mais básico como, por exemplo, a definição de mulher. Falamos de grupos fundados na criação de dúvidas sobre o que é institucionalizado.

Duvidar é natural do ser humano. Mas onde está o ponto que nos faz criar uma crise de credibilidade nas instituições que realmente funcionam no cotidiano, como famílias, associações profissionais e governos? Na ilusão.

As pessoas têm a ilusão de fazer parte dessa tribo virtual unida por repetição de clichês inventados e tentativas sistemáticas de calar quem questiona. Isso, infelizmente, tem sido o suficiente para a ruptura institucional em diversos países.

O grande problema é quando nos deparamos com questões concretas. A turba virtual não será capaz de resolver porque seu foco não é em soluções. Mais do que resolver questões concretas e problemas humanos, as turbas virtuais existem para provar que cada um dos integrantes é virtuoso porque questiona na internet o que está estabelecido.

b. Contexto x conteúdo

Quando foi exatamente que nos tornamos esta sociedade de bedéis que misturam uma noção distorcida sobre as próprias virtudes com a tentativa autoritária de impor suas crendices aos demais?

Desconfio que sempre. O que muda agora é o contexto, não o conteúdo da natureza humana.

A colorista Marina Amaral me apresentou há alguns anos um tema que me deixou fascinada, as pichações ancestrais na cidade arqueológica de Pompeia, na Itália, ao pé do Vesúvio.

Tenho fascinação por história antiga. Tive a oportunidade de visitar Pompeia algumas vezes. Cheguei obviamente em busca de ver os corpos petrificados que tinham povoado minha imaginação por toda a infância. Mas não foi ali que me encantei, foi no lupanar.

Pompeia era uma cidade de comércio, onde passava gente que falava uma infinidade de idiomas. Isso prejudicava a comunicação no bordel. A solução foi fazer uma série de afrescos com o cardápio de serviços.

Poucas coisas na vida me deram mais impacto. Ali, diante da exposição dos desejos e intimidades de gente morta há mais de dois mil anos, eu via uma característica do elemento humano que não muda.

Tudo em volta de nós mudou nesses dois mil anos. Nós, seres humanos, modificamos o mundo, o fizemos à nossa imagem e semelhança. Tentamos controlar a natureza, muitas vezes em vão, mas outras com relativo sucesso.

Dentro das nossas cabeças, no entanto, a natureza humana segue intacta. A mesma. Quando eu descobri esse catálogo de pichações nas ruas de Pompeia, essa sensação ficou cristalina. Até as piadas fálicas de tiozão do pavê nos acompanham pelos séculos.

Transcrevo algumas das frases. Repare a semelhança entre o que diziam pessoas de mais de dois mil anos atrás e as postagens que vemos em redes sociais:

"O ministro das finanças do imperador Nero disse que esta comida é veneno", anônimo, na casa de Cuspius Pansa, integrante de uma família de políticos poderosos.

"Floronius, soldado privilegiado da 7ª Legião, esteve aqui. As mulheres nem perceberam a presença dele. Só 6 mulheres vieram aqui para conhecê-lo, bem poucas para tal garanhão", anônimo, no quartel dos gladiadores.

"Para aquele que anda defecando aqui. Cuidado com a maldição. Se você desprezar esta maldição, pode ter um Júpiter zangado como inimigo" – inscrição na porta da casa de Pascius Hermes.

Nas paredes da igreja é que ficavam os recados mais íntimos. Transcrevo alguns:

"Virgula para seu amigo Tertius: você é repugnante".

"Lucius Istacidius, eu trato como estranho qualquer um que não me convida para jantar".

"Samius para Cornelius: se enforque!"

"Phileros é eunuco".

"Ephapra, você é careca!"

"Chie, espero que suas hemorroidas se esfreguem tanto que doam mais do que antes!"

"Ephapra joga bola mal".

"O homem com quem eu estou jantando é um bárbaro".

"Eu poderia acariciar as costelas de Vênus com um pedaço de pau e chicotear suas nádegas com uma alavanca: ela perfurou meu coração, e eu ficaria feliz em quebrar sua cabeça com um porrete!"

Essas eram inscrições espontâneas, mas já havia também uma espécie de serviço profissionalizado de campanhas políticas. Eram feitas inscrições em letras bonitas pelas ruas da cidade. As encomendas poderiam ser tanto elogio ao candidato quanto difamação contra o adversário. Seguem exemplos:

"Os bandidinhos pedem que Vadia seja eleito para aedile (administrador da cidade)".

"Todo o bando que bebe até tarde é a favor da eleição de Vadia".

"Vesonius Primus apoia a eleição de Gnaeus Helvius para aedile, um homem à altura do cargo".

"Os ourives de forma unânime apoiam a eleição de Gaius Caspius Pansa para aedile".

Se nós estamos há séculos falando exatamente as mesmas coisas, mentindo igual, usando a mesma maledicência, difamando com base nas mesmas coisas e xingando exatamente dos mesmos xingamentos, o que mudou?

Nos últimos anos, algo mudou nitidamente. A convivência foi afetada, as pessoas andam mais nervosas, muita gente evita fazer comentários ou interagir em conversas com medo das reações e até democracias têm sido abaladas.

Não mudou o conteúdo, mudou o contexto.

O conteúdo continua o mesmo que sempre foi, todo o bem e o mal que residem na alma humana. Agora pense nessas frases grafitadas na igreja de Pompeia. Quem olhava para elas via todas ao mesmo tempo, lia quantas quisesse, tinha noção de quantas eram.

Imagine que fosse possível permitir que a pessoa visse só o que você quisesse que ela visse.

Suponha que você quisesse produzir uma sensação de rejeição e desespero num desafeto. Ele entra na igreja. Nas paredes, em vez de ler o xingamento contra ele no meio de vários parecidos, ele vê só o dele.

Não há nenhum xingamento. Há orações, elogios, pedidos. Xingamento, só há contra ele. E ninguém faz nada em sua defesa.

Imagine o tamanho do poder que você poderia concentrar se fosse capaz de distorcer a contextualização dos fatos que as pessoas veem. Isso se chama rede social.

A alteração é do contexto, não do conteúdo. Você recebe só aquilo que o faz reagir prontamente e usar mais produtos da plataforma, mas imagina que está olhando para a parede completa, com todas as inscrições.

Quando você ouve falar em desinformação e *fake news*, existe um simplismo de inferir que seja necessário usar mentiras ou até a tradução infeliz de "notícias falsas" para descrever um fenômeno muito mais complexo que isso.

Você pode contar uma mentira imensa usando só verdades, só fatos verificáveis. Basta burlar o contexto. As duas formas clássicas são selecionar fatos que não são representativos do contexto e só mostrar esses ou inferir que há relação de causa e consequência entre fenômenos apenas consecutivos.

Outro dia um leitor me lembrou da melhor explicação já dada para a distorção de contexto usando somente fatos verídicos. Não vem da internet, vem de 1987. É uma propaganda da W/Brasil para a *Folha de S.Paulo*.

O vídeo mostra uma imagem borrada, em preto e branco. Parece uma foto vista de perto demais. A câmera começa a se afastar lentamente enquanto o narrador descreve o homem da foto.

> "Este homem pegou uma nação destruída. Recuperou sua economia e devolveu o orgulho a seu povo. Em seus quatro primeiros anos de governo, o número de desempregados caiu de 6 milhões para 900 mil pessoas. Este homem fez o produto interno bruto crescer 102% e a renda per capita dobrar. Aumentou os lucros das empresas de 175 milhões para 5 bilhões de marcos. E reduziu uma hiperinflação a, no máximo, 25% ao ano. Este homem adorava música e pintura. E, quando jovem, imaginava seguir a carreira artística", diz a narração.

Nesse momento fica nítida a imagem do homem de quem se fala. É Adolf Hitler. O narrador diz a frase que precisamos transformar em mantra: "É possível contar um monte de mentiras dizendo só a verdade".

Todos esses fatos sobre Adolf Hitler são absolutamente verídicos. Ocorre que há uma fraude de contexto ao omitir as informações sobre a personalidade mais tirânica e perversa do mundo moderno.

Como uma distorção de contexto poderia convencer pessoas usando os esquemas de pressão das redes sociais? Vamos a um caso da política.

Nas eleições de 2010, em Trinidad e Tobago, a Cambridge Analytica foi contratada pelo United National Congress (UNC), partido de maioria indiana. A candidata a primeira–ministra estava bem atrás do candidato do partido da situação, o People's National Movement (PNM), de maioria negra.

O que você faria se tivesse todos os dados de todas as pessoas coletados via redes sociais? Talvez você pense na estratégia de convencimento. Então diria às pessoas as propostas da candidata indiana que são exatamente o que elas querem enquanto mostra os pontos ruins do oponente dela.

Mas aqui não falamos de convencimento, falamos de manipulação de emoções. É dessa forma que verdades e consensos artificiais são estabelecidos com a ajuda das redes sociais.

Houve um fato que mudou as eleições. O primeiro–ministro Patrick Manning, do PNM, estava fazendo campanha nas ruas, buscando votos em um bairro humilde. Gostem ou não do primeiro–ministro, é alta autoridade. Todos tratam com urbanidade. Menos o sr. Percy Villafana, de 81 anos de idade.

Quando o líder da nação tentou entrar na casa dele, cruzou os braços na frente do peito em um gesto que depois disse ser para espantar maus espíritos. Impediu a entrada de Manning e disse textualmente "você não é bem–vindo aqui".

Era o fato que a Cambridge Analytica precisava para uma reviravolta. A questão do idoso não era da diferença entre indianos e negros, ele reclamava da corrupção do governo do PNM e também de que o primeiro–ministro morava no Canadá, só aparecia no país em hora de campanha.

Ocorre que a altivez daquele senhor idoso, o desafio à autoridade e os braços cruzados para afastar maus espíritos produziram o símbolo sob medida para a juventude. Foi lançada nas redes sociais, pela Cambridge Analytica, a campanha *"Do So"*, algo como "faça assim".

Não é no perfil da empresa que se lança isso. Alguns *influencers* são convidados para o trabalho, na maioria das vezes sem nem imaginar do que se trata. Pensam que é uma ONG qualquer contra a corrupção ou um movimento cívico. Se necessário, até é criado um para justificar o início do processo.

O tal do *"Do So"* era cruzar os braços e não ir votar em protesto contra a corrupção do partido que estava no poder. Logo, *microinfluencers* começaram a fazer nos bairros a dancinha do *"Do So"*. Surgem camisetas, bonés, canecas. Vira uma febre nacional.

Os jovens do país foram contagiados. Todos queriam postar nas redes a coreografia que sua turma fazia do *"Do So"*. É algo contagiante porque se sentem cidadãos participantes, têm uma indignação justa e um grupo ao qual pertencem.

Ao mesmo tempo, não precisam fazer nada que dê muito trabalho para se sentir assim. Estão só saindo com a turma e fazendo postagens nas redes sociais. O grupo do qual se sentem parte, o tal do *"Do So"*, a rigor nem existe. É uma ilusão criada pelo movimento das redes.

A grande questão é: se todos os jovens se engajaram, como isso iria mudar a eleição? A população é relativamente equilibrada em números.

Aí é que entra a *expertise* da Cambridge Analytica usando os dados. Qual a diferença fundamental entre os jovens de famílias caribenhas e de famílias indianas? A estrutura familiar.

Jovens indianos vêm de uma estrutura rígida em que os valores e princípios são muito claros e os filhos não desobedecem aos pais. Eles brincam na internet, postam vídeos, fazem grupos, mas o importante é a família.

Já os jovens caribenhos são como a maioria das culturas ocidentais de hoje, com princípios e valores vacilantes, sempre mutáveis. Então eles podem ouvir um grupo artificial do tipo *"Do So"* e não levar em consideração o que os próprios pais falam.

No dia da eleição, foi o que definiu a votação a favor da candidata indiana Kamla Persad–Bissessar. Os jovens negros realmente não compareceram às urnas, seguiram o movimento de protesto organizado artificialmente. Os jovens indianos foram votar com os pais, na candidata deles.

E como a gente faz para saber se está sendo manipulado nas redes? Porque essa história vista de fora é fácil de contar. Mas, dentro do país, como saber que um movimento desses de jovens e artistas, tão contagiante e bem–intencionado, é uma armação?

Muito simples. Em rede social, se você não está usando, é porque está sendo usado. Se você não está pagando, é porque é o produto.

Tendo isso em mente, é muito mais fácil ter a serenidade de não se deixar manipular na hora em que vemos algo feito sob medida para capturar nossa atenção e energia.

O outro ponto importante é a atenção ao tipo de conexão que resolvemos manter ou desfazer nas nossas vidas. Uma sociedade em que as conexões importantes são mediadas por gigantes da tecnologia numa máquina de manipulação não parece ser livre e independente.

O identitarismo, como todos os outros movimentos de controle de massas, usa a tecnologia para separar pessoas e formar grupos imaginários e sem força.

As pessoas brigam com a família e os amigos por demandas de um grupo formado no WhatsApp com pessoas raivosas e sinalizadoras de virtude que nem conhecem. Não existe melhor forma de dominar do que primeiro dividir.

Sempre ouvi dizer que poder não se dá, se toma. Talvez seja um dos primeiros casos em que vemos sociedades inteiras simplesmente entregarem seu poder e sua liberdade numa bandeja de prata a um punhado de corporações.

CAPÍTULO 6

A FALÁCIA
DAS MICROAGRESSÕES

Praticamente todo o pacote de ideias e ações do identitarismo parte do princípio psiquiátrico das microagressões. Poucas coisas explicam melhor a natureza dessa seita do que a forma de distorcer este movimento e apagar o protagonismo de um homem negro.

Aliás, até a palavra *"woke"* utilizada nos Estados Unidos é gentilmente roubada do movimento negro. Esse acordar era uma palavra de ordem desses movimentos, num país em que negros são uma minoria mesmo, 12% das pessoas.

Não demorou para que brancos, principalmente das elites urbanas, passassem a usar essa palavra para se imaginar diferentes dos seus próprios ancestrais. Ao repetir o bordão dos negros que acordavam para o preconceito histórico que sofriam, os brancos deixavam de ser parte dos opressores para ser aliados dos oprimidos.

O identitarismo é formado por gente que ama imaginar que seria alguém privilegiado lutando contra a escravidão ou pelos direitos das mulheres caso tivesse nascido há 300 anos.

Na verdade, nem hoje esse pessoal faz isso. São pessoas que lutam pela própria reputação, são obcecadas com culpa e com uma moral farisaica. Patrulham o cisco e deixam passar o camelo. A interferência na realidade não importa.

No caso das microagressões, elas são dados de realidade e estudadas para interferir na realidade. É um conceito criado por um dos maiores intelectuais negros dos Estados Unidos, o psiquiatra Chester Pierce.

Muito provavelmente você jamais ouviu falar dele no movimento identitário. As referências são sempre brancos, principalmente europeus como Foucault, Deleuze e Marcuse. As teorias deles têm, para o identitarismo, mais peso que a ciência de Chester Pierce.

Falamos aqui de um intelectual cuja biografia parece até mentira de tão incrível. Chester Pierce nasceu na pequena cidade de Glen Cove, Nova York, com 8 mil habitantes e 10% de negros.

Ainda na época em que havia uma lei de segregação racial, foi o primeiro negro da história dos Estados Unidos a tornar-se presidente de sua *high school*, uma posição de representação dos alunos que se consegue por voto.

Ele se formou em Harvard em 1948 e conseguiu o diploma de médico pela Harvard Medical School em 1952, primeiro ano dos protestos contra a segregação racial nas escolas dos Estados Unidos.

Era do time de futebol americano da universidade e foi o primeiro negro a jogar num time de brancos no esporte universitário. A partida foi contra a universidade de Virginia, em 1947, para um público de 22 mil pessoas. Isso foi oito anos antes que Rosa Parks acabasse presa por não ceder seu lugar a um branco no ônibus.

Chester Pierce tornou-se comandante da Marinha e consultor de instituições como a Força Aérea dos Estados Unidos, NASA, Peace Corps, Surgeon General (órgão de saúde dos EUA composto só por militares), além de diversos projetos relacionados à juventude e aos direitos humanos.

Era membro da Academia Internacional de Ciências e da Academia Norte–Americana de Artes e Ciências. Fez palestras em mais de 100 universidades diferentes pelo mundo.

Durante 25 anos, foi professor no MIT, atuando no Massachussets General Hospital, novamente o primeiro negro.

Também criou departamentos novos de psiquiatria na universidade de Harvard, onde é um dos poucos intelectuais a ter seu retrato pendurado na parede.

É o primeiro a estudar a questão do racismo sob o enfoque da saúde mental. Presidiu e foi membro do conselho de diversas associações de psiquiatria e neurologia.

Fez parte do movimento pelos direitos civis de Martin Luther King e, depois, de um dos projetos mais ousados para convivência pacífica da sociedade após a conquista da igualdade, o Vila Sésamo.

O programa infantil teve a consultoria do psiquiatra. Foi desenvolvido para que crianças criadas por famílias acostumadas à segregação racial começassem a compreender formas de convivência pacífica.

Parece alguém em que a gente pode confiar para pesquisas sobre psiquiatria. Foi ele que cunhou o termo microagressão. São as diversas barreiras de relacionamento impostas a quem faz parte de alguma minoria, muitas vezes sem intenção de fazer mal.

Diante da estridência do identitarismo, muitos ficam tentados ao negacionismo. Dizem que isso não existe ou é "mimimi". E assim, na apoteose da superficialidade, deixamos a razão e a verdade em segundo plano.

As microagressões existem por diversos motivos. Um estudo de 2017 da Fundação Perseu Abramo, ligada ao Partido dos Trabalhadores, levantou opiniões de jovens da periferia de São Paulo.

A maioria deles dizia que o principal motivo de discriminação que sofriam é por causa de roupa. Não ter roupa que presta não o faz exatamente parte de uma minoria, é uma condição que você, em tese, pode modificar.

Ocorre que isso o faz sofrer microagressões, barreiras de relacionamento que não existem no caminho de pessoas bem vestidas. Alguém que se veste mal tem mais desafios para ser respeitado no ambiente de estudos, profissional, no relacionamento interpessoal e até por autoridades públicas.

Não há como negar que uma pessoa negra, uma mulher e um homossexual gastam uma soma enorme de energia lidando com essas fricções diárias nos relacionamentos sociais. O estudo das microagressões foi uma tentativa de nos ensinar a lidar com esse fenômeno.

A solução não é apenas individual, precisa combinar ações individuais com ações sociais. Individualmente, o mais recomendado é buscar a linha da psicologia cognitivo–comportamental.

A proposta desse ramo é treinar a mente para conviver com traumas e conseguir blindar o íntimo dessas agressões externas.

Revivendo os traumas, as pessoas conseguem conviver com eles de forma diferente.

Socialmente, Chester Pierce defendia investimento em convivência e empatia, um modelo muito parecido com o que foi aplicado na elaboração de Vila Sésamo.

Ali há personagens de todos os tipos, todas as cores, tamanhos, níveis de inteligência. Todos têm suas forças e suas fraquezas. Um tenta entender os sentimentos e reações do outro.

Esse é o pulo do gato para você perceber que o identitarismo usa palavras científicas enquanto divulga uma seita. As microagressões existem e são ciência. Mas a solução que o identitarismo propõe é negacionismo científico puro, a criação dos tais "*safe spaces*".

Como pessoas que são de minorias sofrem microagressões, o identitarismo propõe que essas microagressões sejam eliminadas da face da terra a qualquer custo.

Ainda que seja preciso perseguir, demitir e praticar violência física contra pessoas, seria justificável, porque minorias sofrem mais agressões. Invariavelmente, os argumentos lançam mão de alguma estatística mal explicada relacionada a suicídio ou depressão.

Partindo desse ponto, qualquer ideia mirabolante que um identitarista tenha será inquestionável. Por exemplo, a ideia de banheiros mistos para "incluir" pessoas transgênero não pode ser questionada.

Quem abrir a boca será imediatamente taxado de transfóbico porque não está considerando a existência de pessoas trans. Assim, essa pessoa vira o prato do dia, contra a qual o grupo pode fazer qualquer vilania e alegar virtude. Estavam defendendo pessoas que iriam se matar.

O ponto das pessoas trans no banheiro virou um debate tão acalorado porque o debate em si foi suprimido. Não vejo resistência significativa para que uma mulher trans ou uma travesti use o banheiro feminino. A resistência é da minoria mais preconceituosa, que usa qualquer desculpa para espezinhar trans e travestis.

Aliás, verdade seja dita, muitas vezes as pessoas nem se dão conta da diferença. Está ali uma figura feminina. Nem sua avó faria a Roberta Close ir ao banheiro masculino.

O problema real é outro, bem diferente, quando se institui a regra segundo a qual quem se diz trans tem de ser reconhecido assim. Esse critério é estapafúrdio, mas criado também para promover *"safe spaces"*. Seria uma microagressão pedir a uma pessoa trans que prove ser trans.

Então, se a pessoa falou, todos os demais têm de acatar ou serão acusados de transfobia. Isso posto, vamos à prática. Estupradores e agressores que não são trans podem simplesmente dizer que são e entrar no banheiro feminino? Sim.

Seria absurdo imaginar que alguém se aproveitaria de uma regra criada para inclusão apenas para poder delinquir? Talvez. Estamos falando aqui de estupradores e agressores sexuais. Ética não é algo que se deva esperar desse público.

Em 2019, a patrulha do identitarismo da pequena cidade de Loudoun, nos Estados Unidos, conseguiu a prisão de Scott Smith por terrorismo doméstico. O vídeo dele saindo algemado de uma reunião escolar rodou o mundo.

Qual foi o caso? A filha dele, de 14 anos, foi estuprada dentro do banheiro da escola e o Conselho Escolar tentou acobertar. A militância "feminista" aparece no vídeo aos berros dizendo que a menina estava mentindo.

Havia provas de que ela foi estuprada, o problema era o autor do estupro. Era um delinquente mais velho que usava saia e dizia ser trans para poder entrar no banheiro. Já estava sendo processado por outro estupro feito da mesma forma.

A questão não envolvia pessoas trans, mas um delinquente que se aproveitou da fragilidade das regras para facilitar sua atuação. A forma de conseguir acesso ao banheiro feminino era declarar ser trans e colocar uma saia. Ele é um estuprador, fez isso, conseguiu o acesso. É perverso e absurdo.

Para evitar esse tipo de discussão, qual a solução que tem sido apontada como mais efetiva? Banheiros unissex. Ela realmente é efetiva para quem vive aterrorizado pela culpa e morrendo de vontade de dizer que milita pela população trans. Ocorre que aumentam os estupros.

Um levantamento feito pelo jornal *Sunday Times* no Reino Unido entre os anos de 2017 e 2018[6] mostrou que 90% dos casos de estupro haviam ocorrido em banheiros ou vestiários unissex.

Se você disser isso, muito provavelmente ouvirá a acusação de transfobia. Algum adepto da seita do identitarismo dirá que você está inferindo que a população trans é toda criminosa, o que incentiva a violência contra esse grupo que já tem uma taxa alta de suicídio.

Resolve a questão do banheiro? Não. Mas atende perfeitamente uma das práticas sociais mais presentes nos grupos identitaristas, chamada de *"social jockeying"*. É como uma corrida de cavalos por poder e relevância social.

Ao apontar uma suposta transfobia em qualquer argumento e conseguir arregimentar um grupo que concorde, a pessoa fica no topo da competição social. É um luxo psicológico.

Utilizar de forma negacionista o conceito de microagressão é algo que estará presente em todo e qualquer movimento do identitarismo.

Ter a crendice de que seja saudável evitar o uso de determinadas palavras está no centro da necessidade de aprovação social desses grupos. Ao apontar o dedo para quem usa algumas palavras, as pessoas se sentem inerentemente boas e têm aprovação dos pares.

Se fosse algo que melhorasse o mundo, talvez até valesse a pena deixar uns corpos no caminho. Ocorre que, fora o ônus, a criação de *"safe spaces"* não tem nenhum bônus.

Como demonstram várias pesquisas elencadas no livro *The Coddling of The American Mind*, de Jonathan Haidt e Greg Lukianoff[7], a saúde mental da geração criada em *"safe spaces"* piorou. A maturidade e a autonomia na idade adulta também.

Os índices de aumento de ansiedade e depressão entre *millenials* são em média 30% maiores que nas gerações anteriores, que não eram protegidas das microagressões.

---

6. https://www.thetimes.co.uk/edition/news/unisex-changing-rooms-put-women-in--danger-8lwbp8kgk, acesso em 21/nov/2022.

7. Penguin Books US, 2019.

O que isso diz sobre nós? Que precisamos sofrer para melhorar? Não, diz que precisamos aprender melhor sobre racionalidade e proporcionalidade.

A criação dos *"safe spaces"* é uma proposta negacionista alternativa ao já estabelecido pelo método científico para lidar com microagressões.

Eu já acreditei em coisas assim e você provavelmente também. Na virada do século, ainda jovem, sofri um acidente grave de paraglider na Colômbia. Foram meses de recuperação.

Em um determinado momento do tratamento, eu tinha uma câimbra que não ia embora com nenhum remédio nem fisioterapia. Era um tormento.

A mãe do meu amigo Claudio Tognolli é muito boa de simpatias antigas e tradicionais. Receitou-me uma que incluía enrolar o braço doente em folhas de couve e colocar uma tesoura nova aberta embaixo da cama. Funcionou.

Acreditar que a solução para microagressões é criar espaços seguros, não falar nada que desperte "gatilhos mentais" nas pessoas ou avisar desses gatilhos é mais ou menos o que eu fiz.

Ocorre que eu sabia ser uma simpatia que poderia ou não dar certo e, caso desse certo, eu nunca saberia as razões. Já o conceito de *"safe space"* é tratado até no meio jornalístico como se fosse algo sério e cientificamente comprovado.

É como se eu passasse a defender que todo acidentado do mundo suspendesse os remédios, se enrolasse em couve e colocasse uma tesoura debaixo da cama porque deu certo para mim.

Quais seriam as consequências reais? Muito provavelmente um grande número de pessoas se daria muito mal.

É assim também quando se aplica essa simpatia do *"safe space"* para lidar com os danos das microagressões. A tensão psicológica para manter esse estado de coisas é bem pior do que a causada pelas microagressões, segundo mostra o livro citado anteriormente.

O problema é que o adolescente fica vulnerável dentro do próprio grupo por coisas que faz sem nenhuma intenção ruim. Se disser uma palavra que, naquela semana, virou maldita, será execrado pelos próprios amigos.

A agressão não vem de fora do grupo, do estranho ou do adversário. Os grupos são montados de forma artificial, onde a competição social é feita por meio de agressão e de humilhar o outro em público é uma forma de demonstrar virtude.

O jovem vive pisando em ovos. Pode ir do céu ao inferno em minutos, ver todo seu grupo contra ele sem ter feito rigorosamente nada de errado.

O custo psicológico de viver nesse ambiente é muito maior que o de conviver com microagressões. O ideal seria reduzir o custo psicológico das microagressões aplicando as metodologias científicas já testadas e aprovadas.

Mas o objetivo do identitarismo, vamos lembrar sempre, não é resolver, é repudiar "tudo o que está aí" para sinalizar virtude.

Se essa seita quiser manter essa lógica entre os fiéis que acreditam nas teorias negacionistas, não sou contra. Sou a favor da liberdade de culto, de crença e até de autoengano.

Meu ponto é que não podemos utilizar essas crendices de uma seita seguida por pessoas importantes como se fossem políticas públicas ou diretrizes sociais. Isso está sendo feito e ainda não sabemos a total extensão do banquete de consequências que estamos preparando.

CAPÍTULO 7

Racionalidade: fatos, opiniões e sensações

Gostamos de pensar que todas as nossas decisões são tomadas de forma racional. Não pensamos muito no que significa essa palavra.

Racionalidade vem de *ratio*, um conceito ligado à matemática. É a proporção, o cálculo, a fatia justa. Ser racional significa dar às coisas a proporção que elas têm. Na nossa realidade, isso inclui não ignorar os sentimentos, que são naturais do ser humano.

Aliás, a palavra sentença vem de *sentio*, o conceito do sentimento, de sentir. A sentença adquire atualmente uma aura de ser puramente objetiva, desligada completamente dos sentimentos. É o oposto, aquilo que você sente ser o justo.

Palavras mudam de significado o tempo todo. Agora temos visto isso ocorrer de forma forçada a cada semana, com o pessoal criando neologismos e um índex de verbetes que justificam cancelamento.

"Formidável" é o meu exemplo preferido. Descobri que a palavra significa algo assustador, medonho ou que causa pavor ao tentar entender um dos meus autores preferidos, Augusto dos Anjos (1884–1914).

A primeira estrofe do poema *Versos Íntimos* diz o seguinte:

> Vês! Ninguém assistiu ao formidável
> Enterro de tua última quimera.
> Somente a Ingratidão – esta pantera –
> Foi tua companheira inseparável!

Só nessa estrofe já temos duas palavras que mudaram de significado em pouco menos de um século. Formidável hoje é algo muito bom, sensacional, acima do comum, sempre positivo. Pantera geralmente é uma palavra usada para falar de atributos sensuais da mulher, não mais para falar de outras características do felino.

É dessas mudanças naturais no uso das palavras que surge uma das principais confusões das redes sociais, a mistura de fato com opinião e sensação.

Todo mundo tem direito de expressar o que quiser. Todos temos o direito de ter sensações e opiniões. O que ninguém tem direito é de criar os próprios fatos, já que isso não é possível.

O maior problema que vemos é na utilização da palavra opinião. Por isso proponho uma categoria além do que se vê tradicionalmente nesse debate, a da sensação.

A palavra opinião pode ser vista de duas formas diferentes e conflitantes ao mesmo tempo. Em sua origem, é muito parecida com o sentido de sentença, é algo que você sente. Uma opinião, de acordo com a origem da palavra, não precisa ter compromisso com a verdade dos fatos.

Com o uso, fomos dando um outro significado. Opinião é algo que tem, de certa forma, um caráter laudatório. Quando você opina, você tem um compromisso com a correção do que foi dito. É um posicionamento lastreado em objetividade.

Então surgem as disputas de quem pode opinar sobre um tema específico. Em tese, todos podem opinar sobre tudo porque não há compromisso com a verdade. Mas, na prática, opinar ganha uma importância que implica conhecimento do tema.

Por isso proponho que comecemos a ter a clareza do que estamos expressando. Sem essa clareza não é possível defender a liberdade de expressão.

Todos podem expressar opiniões, sensações ou relatar fatos. Só não podem alegar que uma coisa é outra, que uma sensação é um fato ou que uma sensação é uma opinião, por exemplo.

Sugiro a seguinte definição.

FATO – Algo que pode ser comprovado de forma inequívoca. Exemplo: "As eleições no Brasil são feitas com urnas eletrônicas". É possível verificar se é verdade ou não de maneira inequívoca, portanto é um fato.

OPINIÃO – É a avaliação pessoal, com base em fatos e teorias.

Exemplo: "As autoridades não lidam bem com os questionamentos sobre segurança das urnas eletrônicas".

Qual é o FATO que conheço e do qual eu parto para opinar?

Há pessoas que questionam publicamente a segurança das urnas eletrônicas.

Qual é a minha OPINIÃO sobre o assunto?

Sou comunicadora e sei que a estratégia de minimizar preocupações das pessoas, mesmo quando são absurdas e infundadas, dá a impressão de que as autoridades estão escondendo algo. Minha opinião é que poderiam agir de outra forma.

Qual é a minha OPINIÃO sobre a segurança das urnas eletrônicas?

Eu não tenho opinião formada porque não domino tecnicamente a área de segurança digital nem conheço os fatos necessários para emitir essa opinião.

SENSAÇÃO – É o que eu sinto sobre o tema, tendo a consciência de que não se trata de opinião nem serve para contrapor dados de quem realmente entende do assunto tecnicamente.

Exemplo: "Eu tenho a sensação de que as urnas eletrônicas são mais seguras que as de papel".

Qual o FATO por trás dessa afirmação?

Nenhum e, por isso, é impossível que seja uma opinião. É uma afirmação que eu sou livre para fazer e revela um sentimento que tenho e é decorrente de algumas experiências. Cobri muitas eleições e sinto que havia muito mais problemas quando as urnas eram de papel, pela falta de controle e demora nas apurações.

E por que isso NÃO é uma OPINIÃO?

Porque eu tenho consciência de que a minha análise parte do sentimento que eu tenho com relação a essas experiências, não de FATOS. Eu não tenho acesso ao número total de problemas e a extensão deles nas duas modalidades de eleição.

Então você não pode dizer nada se não estudou aquilo o suficiente?

Pelo contrário! Todos nós somos livres para dizer tudo isso que sentimos diante de uma situação, afirmação ou pessoa. O que não podemos é pensar que esse sentimento serve como contestação de uma

OPINIÃO (a avaliação de quem conhece os fatos) ou pior ainda, para desdizer um FATO em si.

Saber a diferença entre fatos, opiniões e sensações é fundamental para ter debates saudáveis.

O identitarismo faz propositalmente uma confusão entre sensação e fatos, presente em quase todos os discursos. É algo herdado das teorias pós–estruturalistas.

Não haveria objetividade de fatos nem de conhecimento. A experiência individual seria o que pauta a realidade.

Se uma pessoa foi maltratada por parentes evangélicos, por exemplo, ela pode ter a sensação de que os evangélicos são agressivos e odiosos.

No sistema de pensamento do identitarismo, se essa pessoa for parte de uma minoria oprimida ou disser defender minorias, pode expressar essa sensação como se fosse fato.

A pessoa realmente fala que todos os evangélicos são agressivos, o que não seria nem possível dado o número de pessoas na religião e a pluralidade do meio evangélico. Mas a pessoa alega que teve essa experiência e então não podem exigir dela que tenha compreensão.

Como não foi ela que criou o problema, não pode ser responsabilizada pela solução. Mais uma vez, estamos diante de infantilização, hostilidade e negacionismo.

Muitos de nós solucionamos diariamente problemas que não criamos. Se cada um for encarregado de solucionar os problemas que cria e os problemas só puderem ser solucionados por quem cria problemas, não sei quem vai trazer soluções.

CAPÍTULO 8

IDEIAS INFECCIOSAS E A POLÍTICA DOS *MEMES*

Existem na política inúmeras fórmulas consagradas para manobrar a identidade de grupo das pessoas rumo a objetivos políticos. Arrisco dizer que uma das mais perigosas já colocadas em prática é a propaganda nazista.

Muito se fala sobre os métodos, mas alguns dos mais infecciosos estão documentados no capítulo VI de *Mein Kampf*, autobiografia que Adolf Hitler (1889–1945) escreveu na prisão. Parece algo sombrio demais – e é. Ocorre que foi ressuscitado recentemente e adaptado para a internet.

Talvez você jamais tenha ouvido falar de Andrew Anglin, dono do *site* extremista *Daily Stormer*. Ele faliu após ser condenado a compensar as vítimas de seus ataques nos Estados Unidos e sumiu após as sentenças.

É uma personalidade que explica bastante o que muitos chamam de "teoria da ferradura", aquela da proximidade entre extremos políticos de direita e esquerda. O extremismo é, na verdade, a antipolítica, a implosão da política como solução. Por isso se vê a similaridade, embora direita e esquerda jamais sejam espelhos.

Comum, no entanto, é que personalidades extremistas transitem entre os dois polos políticos como se estivessem virando casaca. Andrew Anglin começou a militância como vegano antirracista. Acabou como neonazista trumpista.

Diversos militantes que ficaram conhecidos pela postura de direita aguerrida começaram na esquerda mais barulhenta. São exemplos a deputada Carla Zambelli e a ativista Sara Winter, que começam no Femen, o grupo feminista mais radical na esquerda e desaguam no bolsonarismo.

Há muitas pessoas na esquerda que argumentam que o Femen jamais foi dessa ideologia, embora se apresentasse assim. O fato é que a militância verbalizava o discurso de esquerda.

Não é incomum a transição, embora pareça controvertida. Quem tem apreço pela militância mais ruidosa a favor dos que estão no poder acaba mudando de discurso quando muda o mandatário ou a onda política dominante na sociedade.

Todos podem e devem mudar de ideia. Dizem até que todo jovem precisa ser socialista porque tem coração e acaba virando liberal quando ganha cérebro. Creio que seja maldade, mas a frase é boa porque mostra que não somos estanques, mudar de ideia é humano.

As ideias infecciosas de que trato aqui não são as ideologias políticas, mas os métodos de manobra dos liderados políticos em torno do medo, do líder inquestionável e da necessidade de viver diuturnamente e de forma profunda o "nós contra eles".

No capítulo VI de *Mein Kampf*, Adolf Hitler critica a estratégia de comunicação da Alemanha na I Guerra Mundial por considerar que abrigava demasiados tons cinzentos entre quem eram aliados e inimigos, inclusive dentro da própria sociedade alemã.

A estratégia considerada ideal é a que tinha sido conduzida pela Inglaterra. Ou melhor, é aquela que Adolf Hitler enxerga na condução dos ingleses. Não havia linhas cinzentas, ou era aliado inquestionável ou inimigo a ser combatido. As vitórias eram celebradas fossem ou não reais. A ideia de triunfo e grandiosidade convivia com a necessidade de aniquilar inimigos.

É a partir desse raciocínio que ele desenvolve toda uma teoria sobre como deve ser a propaganda política. No nazismo, vários outros especialistas como Joseph Goebbels (1897–1945) e Leni Riefenstahl (1902–2003) deram forma à teoria, contextualizando discurso e estética no ponto para manipular o medo e consolidar a dominação.

Aqui voltamos a Andrew Anglin, que teve uma ideia, a de "traduzir" os preceitos do *Mein Kampf* para aplicar na internet. Da mesma forma que esses preceitos foram adaptados para discursos, filmes e uma estética concreta, ganharam uma versão para internet.

O mais assustador das técnicas que ele propõe é perceber o quanto são infecciosas. A partir do momento em que um espectro político aceitou passivamente o uso das táticas de intimidação, elas passaram a se normalizar.

Resolvi traduzir o manual de Andrew Anglin porque funciona como uma vacina contra a radicalização. Hoje, o conteúdo do debate é uma desculpa moral para comportamentos radicais.

Radicais atacam de forma virulenta, desumanizam, ridicularizam e objetificam seus alvos. Depois alegam que era apenas uma discordância ou uma crítica. Aposto que você já pensou em alguém ou alguma situação nas redes sociais quando leu isso.

É importante contextualizar, dar nome, apontar com precisão quais são esses métodos de radicalização. Eles podem ser usados com todo e qualquer discurso político, não fazem distinção de ideologia, como toda infecção.

Andrew Anglin elaborou o manual com um propósito prático, o de instruir os colaboradores de seu *site* neonazista *Daily Stormer*. Era uma padronização das postagens para que os objetivos fossem atingidos e ela funcionou. Ele misturou *Mein Kampf* com *Regras para Radicais*, de Saul Alinsky (1909–1972).

Aqui meu propósito é outro, o de explicar a você o formato de postagem que você provavelmente já viu com diversos tipos de conteúdo, inclusive fora da política. Treinar a detecção de contexto e de táticas é importante para que boas intenções não sirvam de disfarces para manipulação digital.

Mesmo que você não tenha qualquer familiaridade com neonazismo ou qualquer outra teoria política radical e extremista, tenho certeza de que já trombou com postagens utilizando essas mesmas técnicas.

Não significa que essas pessoas façam de propósito ou queiram aplicar estratégias extremistas. Aliás, na maioria dos casos não é isso que acontece. É importante manter em mente o conceito de conformidade social e o papel dos líderes.

De tanto ver essa forma de relacionamento se normalizar e líderes que ou aplaudem ou minimizam estratégias radicais, elas param de nos chocar até que se convertem na norma.

Entre nossos pares, a tendência humana é imitar o que faz a maioria. Não se trata de falta de personalidade ou de ser "maria vai com as outras". Somos gregários e a imitação é uma forma importante de socialização.

Gosto particularmente de um vídeo antigo sobre isso, do programa *Candid Camera*, nos anos 1960. A pegadinha se passa em um elevador. Primeiro entram diversos atores e depois, o desavisado.

Todos estão olhando para a porta, como é o normal. De repente, todos os atores se viram repentinamente de costas para a porta.

O primeiro gaiato tenta manter a dignidade. Vai se aproximando do fundo do elevador, olha para os outros, para si, para a parede. Tenta se convencer de que é necessário fazer aquilo, até que se vira.

O grau de facilidade em aderir ao grupo vai aumentando conforme o alvo da pegadinha. O último deles não só se vira para todos os lados como coloca ou tira o chapéu acompanhando os atores, sem que seja necessário dizer uma única palavra.

O que impediria você de ser engolido por essa tendência profundamente humana de se virar para o fundo do elevador só porque aquele bando de desconhecidos fez isso?

Se alguém dissesse antes a você que todo mundo iria virar para o fundo do elevador testando para ver se você vira também, a história seria outra. É precisamente o que faço aqui. Costumo chamar de "Efeito Mister M". Assim que eu lhe conto como o truque funciona, com você ele não funciona mais.

É muito útil para não cair em manipulação mas também para não correr o risco de repetir esses comportamentos, algo que pode acontecer ou já aconteceu com todos nós. A maioria das pessoas que mimetiza essas ações não tem más intenções, crê que está lutando por algo bom.

O problema é que, quando admitimos métodos e ações comprovadamente infecciosas e cruéis acreditando agir pelo bem, o tiro sai pela culatra. Temos visto isso de forma reiterada e uma boa maneira de reverter o processo é tomar consciência dele.

a. O manual da radicalização

Nunca houve a divulgação de um manual público de radicalização para pessoas aparentemente normais. O *site Daily Stormer*, de Andrew Anglin, começava a receber voluntários para contribuir com os textos e ele queria um padrão.

Esse "manual" era distribuído à boca miúda entre os que partilhavam dos ideais ora neonazistas e ora trumpistas, mas sempre radicais. Após as primeiras condenações judiciais e já diante dos escândalos públicos, surge este manual.

Um dos antigos apoiadores entregou o material ao *Huffington Post*, que verificou a rastreabilidade, autoria e publicou em meados de 2017. Você vai observar que os métodos apregoados pelo manual foram largamente utilizados nas eleições de 2018 e viraram a norma do debate político em 2022.

Ocorre que eles são a fórmula para desumanização do adversário e a antipolítica, trazem inevitavelmente o esgarçamento do tecido social e vão conduzir ao radicalismo. Qual tipo de extremista vencerá a disputa é sempre uma incógnita, mas o certo é que a democracia perde.

O manual é dividido em várias partes e começa pela mais fácil, uma normatização do padrão de escrita. Nela, estipula-se quando se usa letra maiúscula ou minúscula, o tipo de parágrafo e o tamanho dos textos. Depois vêm as instruções de onde buscar assuntos, imagens e vídeos. No final é que se fala sobre estratégias de radicalização.

Formatação infantilizada

Lede (corruptela de lead, o termo jornalístico para a abertura de um artigo ou reportagem)

O "lede" é a primeira frase do artigo, que o introduz. Os ledes fortes são muito importantes. Deve ser o mais forte e direto possível. Muitas vezes, o lede, como uma única frase, deve ser seguido por uma quebra de parágrafo, pois isso aumenta seu impacto.

Parágrafos curtos

Os parágrafos devem ser o mais curtos possível. Geralmente, isso significa entre duas e três frases. Os artigos da AP e da Reuters são um bom guia para isso. Mesmo quando uma quebra de parágrafo não for necessariamente apropriada no sentido tradicional, uma deve ser inserida se o parágrafo ficar muito longo onde for mais sensato fazê–lo.

Vocabulário

Estamos escrevendo para o homem comum, então a linguagem deve ser muito simples, usando um vocabulário padrão da 8ª série. O uso de "palavras universitárias" é extremamente desencorajado.

A única situação em que uma palavra incomum deve ser usada quando é inevitável, como quando é necessário descrever algo técnico, ou uma situação ou fenômeno tão específico que requer uma descrição única.

A formatação é uma mistura de aparência de veículo jornalístico com o maior nível de simplificação possível para aumentar o alcance.

Esteticamente, o *Daily Stormer* mimetizava os *sites* jornalísticos. Nessa parte do manual, também vemos a citação de utilização e sentenças diretas por agências de notícias.

Existe, no entanto, uma preocupação em ser diferente dos jornalistas, que têm o estigma de elitistas em diversas sociedades, incluindo a nossa. É importante o vocabulário mais simplificado possível, infantilizado até.

Aparentam ser notícias, mas são descomplicadas e, como veremos adiante, pensam por você. É, sem dúvida nenhuma, um produto fadado ao sucesso enquanto o grande público ainda não está familiarizado com os métodos digitais.

O pulo do gato desse estilo está em dar ao leitor a impressão de que ele está lendo um *site* jornalístico, mas que fala como ele gosta ou que diz o que ele gostaria de dizer. Será questão de tempo até que surja uma identificação com o *site* em si e ela será transferida para o conteúdo.

Escrita - Método de citação

Não há necessidade de reescrever completamente uma notícia. É legal sob as leis de uso justo citar grandes partes de um artigo, contanto que você não cite a coisa toda, e você pode usar isso para obter os fatos básicos da história declarados, em vez de apenas redigitá–los em suas próprias palavras.

Existem várias razões pelas quais me decidi por este modelo:

- Economiza energia, ao mesmo tempo em que garante que os próprios fatos sejam comunicados com precisão;
- Ser capaz de ver a fonte mainstream citada nos permite cooptar a autoridade percebida da mídia convencional, e não parecer um daqueles sites com os quais todos provavelmente estamos familiarizados, onde você nunca tem certeza se o que eles estão dizendo foi confirmado;
- Simplesmente comentando sobre notícias existentes, em vez de reescrever os fatos da história, nunca podemos ser acusados de "fake news" – ou excluídos pelo Facebook como tal – pois é claro que tudo o que estamos fazendo é comentar notícias existentes;
- O contraste entre o estilo de escrita mainstream e nosso próprio estilo humorístico e sarcástico pode ser engraçado.

O site é, de muitas maneiras, modelado a partir de blogs liberais de sucesso, como o Gawker. Eles produziram um ótimo método para atrair a mesma faixa etária para a qual queremos apelar.

[...]

O que citar

Geralmente, você deseja citar a frase principal de qualquer artigo que esteja citando, a menos que esteja se concentrando em algum ponto específico do artigo.

Certifique-se de que, com as reticências, você não remova informações que serão necessárias para explicar uma parte que você cita.

A título de exemplo, se alguma testemunha está sendo citada, você precisa remover tudo sobre a citação, ou certificar-se de que a primeira menção, onde elas são nomeadas e identificadas, esteja incluída.

Nada dentro da citação deve ser alterado, sob nenhuma circunstância. Não mude as palavras para torná-lo engraçado e não memetize os nomes judeus. Qualquer texto citado do mainstream deve ser citado exatamente como é.

Ênfase

A ênfase em negrito (ctrl+b) deve ser usada nas partes mais importantes da citação. Sublinhado (ctrl+u) também pode ser usado. Geralmente, o sublinhado é uma segunda camada de ênfase – isto é, se um parágrafo ou frase inteiro estiver em negrito, você pode sublinhar palavras–chave para dar efeito.

O objetivo disso é tanto tornar a página em si mais dinâmica visualmente quanto permitir que as pessoas que estão mais interessadas em nosso comentário do que no texto citado possam ler com facilidade, usando o texto em negrito como uma guia sobre quais são os pontos necessários que precisam ser conhecidos para entender o comentário.

Fontes

Embora qualquer fonte de mídia que você escolher sirva, se você vir algo em um veículo, vale a pena ver se outros veículos têm uma cobertura mais concisa da mesma história.

Em particular, as histórias que são divulgadas pelo NYT ou WaPo geralmente aparecem em um formato muito detalhado, o que na maioria dos casos é desnecessário para nós. Essas histórias são sempre reescritas por veículos mais concisos, geralmente dentro de 3–4 horas após a primeira publicação.

As mídias mais concisas são:

- AP
- Reuters
- Fox News
- RT
- Breitbart

RT e Breitbart têm o benefício de estarem mais próximos de nossa própria abordagem em muitas questões, o que significa que em sua reescrita concisa, é mais provável que incluam pontos de interesse.

Traduzindo texto de uma língua estrangeira que você não conhece

Embora seja raro, às vezes encontramos notícias – ou fatos de notícias específicas – que não estão em inglês (ou em qualquer idioma em que você esteja escrevendo, se estiver trabalhando em uma das versões estrangeiras do DS).

Se for um idioma que você não conhece e não tiver alguém disponível para traduzir para você, você pode usar o Google Tradutor. Isso às vezes criará problemas de sintaxe. Você pode corrigir esses problemas no texto do Google Tradutor, desde que tenha certeza de que não alterou o significado original.

Tópicos a serem abordados

O objetivo final do DS é cobrir tantas notícias quanto qualquer site de notícias mainstream.

Neste momento, é importante cobrir tudo o que as pessoas estão falando. Então, vemos as principais notícias do dia e provavelmente escrevemos algo sobre a maioria ou todas elas.

Também cobrimos questões judaicas e questões nacionalistas, juntamente com a decadência social e cultural.

Certifique-se de verificar o que outros escritores estão escrevendo na seção principal de "posts" do painel do WordPress, para ter certeza de que não está escrevendo sobre um tópico que já foi abordado.

Quando você escolher um tópico para cobrir, certifique-se de dar um título primeiro, que aparecerá na seção "posts", para que outros escritores saibam que você já está escrevendo esta história.

Onde encontrar histórias

Notícias do Google

A fonte mais fácil de notícias é o Google Notícias. Você pode adicionar *tags* ao seu feed e acessar todas as histórias relacionadas à *tag* todos os dias.

Por exemplo, se você for designado para cobrir a Alemanha, adicione as seguintes *tags*:

- Alemanha
- Merkel
- AfD
- NPD
- Pegida
- Etc.

Eu tenho todos os tipos de *tags* no meu *feed* GN:

- Todos os nomes dos vários partidos nacionalistas na Europa
- Racismo
- Antissemitismo
- Judeus
- Israel
- AIPAC
- Imigração

- Estupro coletivo
- Agressão sexual
- Neonazista
- Supremacia Branca
- Multiculturalismo
- Erdogan
- Putin
- ISIS
- Black Lives Matter

E assim por diante. Também adicionarei *tags* de eventos atuais em andamento, como "Arroz Tamir" ou "mês da branquitude" na parte inferior.

Feeds RSS

O *RSS* permite que uma pessoa navegue facilmente em todas as histórias de um site apenas pelo título, tudo em um só lugar.

Existem vários leitores de *RSS* que podem ser instalados no seu navegador ou baixados como um aplicativo. Você então se inscreve em sites de notícias e poderá percorrer listas inteiras de notícias pelo título.

Isso foi basicamente projetado para pessoas que administram sites de notícias (nunca realmente pegou os normies).

Outras fontes

- DS BBS
- Relatório de Trabalho
- Reddit
- Twitter
- Voat
- /pol/

Todas as facilidades que o mundo digital criou para a difusão da informação segura e também para a detecção de desinformação podem ser burladas e são descobertas muito facilmente.

O coração da estratégia de Andrew Anglin era que o *Daily Stormer* não inventava histórias, estava em tese "cobrindo" o que todos os grandes veículos de comunicação também cobriam. A diferença é que não existia cobertura nenhuma.

Trechos de reportagens dos grandes veículos eram utilizados para alinhavar teorias extremistas e justificar as opiniões e ideias infecciosas defendidas nos artigos.

Inventar fatos, o que também já foi uma tática, não é muito produtivo porque as postagens são derrubadas por falsidade. Já uma opinião não pode ser falsa, é a opinião da pessoa. Esse foi o recurso que blindou Andrew Anglin com ajuda das redes sociais por muitos anos.

Ele não estava espalhando antissemitismo nem assediando pessoas, estava apenas reproduzindo uma notícia e cobrando posicionamento de uma personalidade pública, de forma até divertida, sem jamais recorrer a "discurso de ódio". Essa justificativa hoje é suprapartidária e foi normalizada nas redes.

Quando não se lê um xingamento expresso ou uma formulação nitidamente de ódio, o interlocutor pode alegar que está sendo educado na crítica ou só fazendo uma pergunta. Nossa tendência é ler a frase e atentar para o conteúdo, perdendo o contexto.

Andrew Anglin contextualiza muito bem. As citações dos meios de comunicação precisam ser sinalizadas em negrito, itálico ou sublinhado. Elas vão contextualizar as opiniões, que são o que interessa ao público e o que vai conduzir esse público no rumo da radicalização.

Aposto que você começa a pensar em diversas iniciativas de mídia e *blogs* alternativos que utilizam essas técnicas. Nem todos são dedicados a radicalismo político, mas a repetição dos métodos tornará a audiência radicalizada independentemente da intenção de quem escreve.

À medida em que esses mesmos métodos, que conduzem à radicalização política, também são utilizados para fidelizar audiência, como recurso de *marketing*, não causam mais estranhamento.

Assim, pessoas que têm acesso à estrutura de discurso típica do *Daily Stormer* utilizada por quem deseja reter audiência não vão estranhar a linguagem quando estiverem diante de uma publicação com clara intenção de radicalizar.

Multimídia

Como regra, cada post deve ser preenchido com o máximo de estimulação visual possível. As páginas devem parecer emocionantes e apelar para a cultura do TDAH. Não há exagero possível nisso.

Isso inclui:

- Imagens diretas (fotos de pessoas, lugares, eventos);
- Imagens de memes (que você mesmo cria ou encontra em outros sites – memes novos são melhores, mas memes antigos também são bons);
- Gifs engraçados;
- Incorporações do Twitter;
- Vídeos do YouTube (ou outro vídeo de outros sites, se necessário).

Se você estiver escrevendo uma história, pesquise no Twitter e no YouTube por conteúdo para incluir entre os parágrafos. Você também provavelmente deseja se inscrever em várias contas do YouTube e Twitter que produzirão conteúdo relacionado. Você deve criar uma pasta de memes em seu computador e salvar bons memes que encontrar em quadros de imagens, quadros de mensagens e mídias sociais para uso futuro.

Isso é muito importante e uma grande característica do site.

Ser capaz de encontrar uma boa mídia é uma habilidade em si e, se é uma habilidade que você ainda não tem, deve trabalhar para cultivar.

Nota: se você está escrevendo sobre algum inimigo judeu/feminista/ etc., coloque o *link* das redes sociais da pessoa, Twitter especialmente. Já recebemos a atenção da imprensa antes, quando eu nem chamei alguém para ser trollado, mas apenas coloquei o link e as pessoas foram e fizeram isso.

Aqui voltamos à relação entre líder e liderado. Uma forma muito clara de conseguir o resultado desejado, que é o ataque desmedido a inimigos, sem se responsabilizar por isso.

Andrew Anglin apela agora ao estímulo sensorial para que os leitores não se aprofundem em conteúdos ou raciocínio. Devem ser estimulados a rir com os *memes*, a olhar as fotos, a ter um estímulo a cada parágrafo. Não leem mais com o cérebro, leem com o fígado.

Então basta colocar o *link* do perfil de algum inimigo. Não precisa xingar nem pedir para atacar. O contexto está construído e o resultado vai acontecer. Melhor de tudo: é possível alegar inocência até judicialmente. Afinal, não está ali escrita nenhuma convocação para atacar a pessoa.

Outra técnica de radicalização é a do uso constante de algo parecido com o humor, mas que é agressão disfarçada. Quem não é "iniciado" deve ficar sempre na dúvida.

Não existe humor porque o objetivo não é ser engraçado, é poder agredir e ofender livremente sem ter de arcar com as consequências. A cereja do bolo é ainda alegar que milita por uma causa nobre.

Ofensas raciais, palavrões e humor escatológico

A profanação deve ser usada com moderação. Um uso excessivo de palavrões pode parecer pateta. "Crioulo" pode ser usado às vezes, mas não deve ser usado constantemente. […]

Embora os insultos raciais sejam permitidos/recomendados, nem toda referência a não brancos não deve ser um insulto e seu uso deve ser baseado no tom do artigo. Geralmente, ao usar insultos raciais, deve soar como uma brincadeira – como uma piada racista da qual todos riem porque é verdade. Isso segue o tom geralmente leve do site.

Não deve parecer um ataque de fúria vitriólica. Isso afasta a esmagadora maioria das pessoas.

[…]

Sempre que escrever sobre mulheres, certifique-se de seguir a diretriz principal e culpar o feminismo judeu por seu comportamento.

Bichas podem ser chamadas de todas as palavras para bicha, embora, novamente, as relacionadas ao cocô devam ser evitadas.

Se até aqui já parece assustador o suficiente, o trecho sobre Moral e Dogmas é ainda mais perturbador. O grande problema é que tende a funcionar com pessoas que não conhecem essa estrutura de discurso e manipulação cognitiva.

São práticas geralmente relacionadas à política de extrema-direita, mas não necessariamente restritas a esse círculo. Regimes desse espectro ideológico são os mais conhecidos, mas estamos diante de ideias infecciosas e suprapartidárias.

É conhecidíssima a tática de permitir pequenas transgressões e justificar com a necessidade de um bem maior até que se desça completamente a ladeira. Não se usa apenas em política.

Grupos sectários seguem sempre essa lógica, além da ideia da liderança inquestionável ou do líder natural.

Andrew Anglin assume abertamente que adaptou para a era da internet o que Adolf Hitler escreveu em sua autobiografia *Mein Kampf*, ainda recomenda que todos leiam.

Por razões óbvias, a maioria das pessoas tende a se afastar desse tipo de conteúdo. É tóxico, não há dúvidas.

Ocorre que ele não se apresenta como tão perigoso num primeiro momento justamente porque é planejado para parecer inofensivo, leve e engraçado. A partir do momento em que os indivíduos começam a fazer parte desses grupos, vão se tornar mais dependentes deles.

Em primeiro lugar porque os limites do aceitável vão se alargando pouco a pouco, o que vai trazer problemas na convivência social fora do grupo radicalizado.

Depois porque as pessoas vão gerar um passivo social com suas ações e terão mais dificuldades para retornar aos círculos sociais originários, então vão precisar do grupo cada vez mais.

Moral e Dogma

Deve ser entendido antes de tudo que o Daily Stormer não é um "site de um movimento". É um site de divulgação, projetado para espalhar a mensagem de nacionalismo e antissemitismo para as massas.

Isso tem funcionado muito bem até agora, e o site continua crescendo mês a mês, indicando que não há teto para isso. Assim, embora pretendamos manter os leitores que já estão informados e entretidos, deve-se sempre considerar que o público-alvo são pessoas que estão começando a se conscientizar desse tipo de pensamento.

O objetivo é repetir continuamente os mesmos pontos, de novo e de novo e de novo e de novo. O leitor é inicialmente atraído pela curiosidade ou pelo humor maroto, e aos poucos é despertado para a realidade lendo repetidamente os mesmos pontos. Podemos manter esses pontos atualizados aplicando-os a eventos atuais.

A doutrina básica de propaganda do site é baseada na doutrina de propaganda de guerra de Hitler descrita em *Mein Kampf*, Volume I, Capítulo VI. Se você não leu isso, por favor, leia.

Quais seriam essas técnicas de propaganda? É assustador como passaram a fazer parte da nossa rotina e já foram naturalizadas como atitudes de pessoas bem-intencionadas.

Existe um tripé da construção desse tipo de raciocínio: eleger um inimigo comum e único, disfarçar ataques com humor e eliminar nuances.

Num primeiro momento, isso será muito claro para nós como regra de comportamento de líderes autoritários, políticos populistas, organizações criminosas e movimentos violentos. Quem não está comigo é meu inimigo e deve ser aniquilado.

Quando passamos à dinâmica das redes sociais e sua construção de discurso, vemos que essas práticas são ainda mais infecciosas. Vivemos na era da hipercomunicação e da democratização do acesso a ela.

Inúmeras iniciativas "pela inclusão" ou de "combate ao discurso de ódio" vão seguir exatamente a cartilha de propaganda nazista. Comece a reparar nos métodos e não na justificativa por um bem maior.

Seria possível seguir à risca a cartilha de propaganda nazista e conseguir um resultado de inclusão social ou diminuição do ódio na sociedade? Eu não creio, mas na prática ainda vamos assistir aos resultados dessa tentativa.

Lulz (corruptela de LOL, *Laughing Out Loud*, rindo alto)

O tom do site deve ser leve.

A maioria das pessoas não se sente à vontade com material que parece ódio corrosivo, furioso e não irônico.

Os não doutrinados não devem saber dizer se estamos brincando ou não. Também deve haver uma ação consciente de zombar de estereótipos de racistas odiosos. Eu costumo pensar nisso como humor autodepreciativo – eu sou um racista tirando sarro do estereótipo dos racistas, porque eu não me levo muito a sério.

Isso é obviamente um estratagema e eu realmente quero colocar judeus nas câmaras de gás. Mas é preciso seguir o caminho do meio.

Artigos sérios são bons e podem ser escritos e publicados com absoluta seriedade. No entanto, artigos que assumem um tom sério não devem incluir insultos raciais ou mesmo linguagem grosseira sobre outras raças.

Nessa altura do campeonato, você já deve ter visto demais da política de *memes* da *alt-right*. Um argumento muito usado no Brasil é de que o humor não deve se submeter ao politicamente correto.

O subterfúgio funciona quando coloca no mesmo balaio humoristas e agentes políticos, que têm atividades e objetivos diferentes. Quem os combate incorrerá no mesmo erro e então o extremismo vence.

Aqui chamo especial atenção para uma prática já enraizada no progressismo e até na mídia tradicional: o perfil supostamente humorístico feito para ridicularizar autoritários e reacionários.

São geralmente anônimos, geridos por pessoas que não se identificam e ganham até coluna em revista. Não creio que tenham sido criados com o objetivo de radicalizar nem que reflitam as ideias de seus criadores. Aliás, nos casos brasileiros, suponho que os perfis vocalizem exatamente o oposto do que pensam seus criadores.

O resultado, no entanto, é exatamente o mesmo perfil que neonazistas consideram essencial para propagar suas ideias infecciosas. É um perfil político que se passa por humorístico enquanto fala atrocidades e se comporta de maneira vil.

Seria possível que dois perfis que são exatamente iguais, mas feitos por pessoas com intenções diferentes, tenham efeitos diferentes? É algo para se pensar.

Primeira Diretriz: Sempre Culpe os Judeus por Tudo

Como diz Hitler, as pessoas ficarão confusas e desanimadas se sentirem que há vários inimigos. Como tal, todos os inimigos devem ser combinados em um inimigo, que são os judeus. Isso é praticamente verdade objetivamente, mas queremos deixar de fora toda e qualquer nuance.

Portanto, não culpe o pensamento iluminista, o altruísmo patológico, a tecnologia/urbanização etc. – apenas culpe os judeus por tudo.

Isso basicamente inclui culpar os judeus pelo comportamento de outros não brancos. Claro que não devem ser tratados como inocentes, mas a mensagem sempre deveria ser que se não tivéssemos os judeus, poderíamos descobrir como lidar com os não brancos com muita facilidade.

A mesma coisa com as mulheres. As mulheres devem ser atacadas, mas sempre deve ser mencionado que se não fosse pelos judeus, elas estariam agindo normalmente.

O que deve ser completamente evitada é a ideia às vezes mencionada de que "mesmo que nos livrássemos dos judeus, ainda teríamos todos esses outros problemas". Os judeus devem sempre ser o começo e o fim de todos os problemas, da pobreza à dinâmica familiar pobre, da guerra à destruição da floresta tropical.

Parece surreal e é, mas funciona de maneiras sutis e já começa a aparecer no meio do identitarismo brasileiro. Todas as técnicas de comunicação e formação de grupos usadas pelo identitarismo ou wokeísmo são extremamente semelhantes às das formações de seitas religiosas e a este manual escrito por Andrew Anglin.

Importante notar que não faço aqui uma avaliação moral daqueles que são atraídos por esses movimentos. Os que se interessam pelo identitarismo sem saber a respeito são pessoas legitimamente preocupadas com justiça e igualdade.

Ocorre que a segmentação artificial dos grupos sociais acaba causando efeitos parecidos com aqueles criados propositalmente por grupos radicais, como o de Anglin.

Não se fala abertamente sobre ódio contra judeus, mas há uma obsessão com o "privilégio branco", a "branquitude" e a separação de grupos humanos em raças compostas de indivíduos que pensam e agem igual por serem da mesma raça.

Obviamente a ideia do identitarismo ao separar grupos humanos por raças é nobre, a de promover inclusão e reparação para os grupos oprimidos. Difícil saber qual dos dois grupos será mais perigoso aplicando o método, o notadamente ruim ou o que se julga bom.

Com o manto da luta pelo bem e da moralidade, é possível chegar a degraus ainda mais baixos do que aquele consciente da própria torpeza.

"Dentre todas as tiranias, uma tirania exercida pelo bem de suas vítimas pode ser a mais opressiva. Talvez seja melhor viver sob um ditador desonesto do que sob onipotentes cruzadores da moralidade. A crueldade do ditador desonesto às vezes pode se acomodar, em algum ponto sua cobiça pode ser saciada; mas aqueles que nos atormentam para o nosso próprio bem irão nos atormentar indefinidamente, pois eles assim o fazem com a aprovação de suas próprias consciências", disse C. S. Lewis (1898–1963). E ele nem tinha internet.

As reações notadamente antissemitas a qualquer pronunciamento do jornalista Tiago Leifert já são comuns na internet. Elas revelam algo além do antissemitismo dos indivíduos que vocalizam essa ideologia, a permissividade de diversos grupos.

Houve dois episódios em que choveram manifestações antissemitas entre a militância identitarista. O primeiro deles é uma briga de rede social em torno de *Big Brother* com um ator negro que não gosta do programa. O outro é quando o jornalista disse num *podcast* que não votaria nem em Lula nem em Bolsonaro.

A primeira manifestação antissemita foi "Sobre a polêmica com Tiago Leifert: judeu, né? (Desculpem—me os judeus legais que eu conheço. Isso não é com vocês…)".

Horas depois, a autora da pérola tentou se justificar:

> Num ato impulsivo fiz um *tweet* generalizando estereótipos a toda uma comunidade […]. Como mulher negra sei das dores que o racismo provoca e reconheço o sofrimento de um povo perseguido e torturado ao longo da história.

Claro que não colou.

Qual foi a solução? O cancelamento, que é útil para não enfrentar problema nenhum e fingir que a pessoa nasceu com um defeito irreconciliável. A dona da conta apagou suas redes sociais.

O que não se apagou é o mecanismo segundo o qual a militância identitarista associa o judaísmo à "branquitude", o mal que deve ser atacado de forma impiedosa.

No segundo episódio, que envolveu também o influenciador Felipe Neto, parece que a massa de internautas defensores do identitarismo seguiu à risca o manual de Andrew Anglin. Chegam à cereja do bolo que é, além de xingar judeus, dizer que eles são racistas e nazistas.

Isso veio de supostos defensores de direitos humanos, entre eles um juiz sério que interagiu com o influenciador. Ele argumentava que a ideia de "pessoas inferiores", uma das expressões de Tiago Leifert na briga com Felipe Neto, seria típica do nazismo.

É a técnica de contar mentiras usando verdades, o coração da desinformação. Realmente é uma ideia da doutrina nazista a de raças inferiores, mas ela necessariamente é contra a individualização e o reconhecimento de inferiores como indivíduos. Certo ou errado, Leifert fez isso com Felipe Neto, dirigiu-se a ele como indivíduo.

100% preto e branco

Assim como não devemos apresentar vários inimigos, não devemos deixar espaço para nuances em nenhuma outra área.

Na medida do possível, tudo deve ser pintado em termos completamente preto e branco.

A ideia básica é que todos do nosso lado são 100% bons e todos que não estão do nosso lado são 100% maus. Claro que na vida real você não pode fazer exatamente nada 100%, mas deve ser o mais próximo disso possível e ainda ser coerente.

Partidos e ativistas nacionalistas hardcore devem sempre ser apresentados como virtuosos e heroicos, enquanto todos os que se opõem devem ser apresentados como repugnantes e malignos.

A natureza melodramática disso também aumenta o valor do entretenimento.

Isso não é ser desonesto. É apenas reconhecer a realidade prática de que as pessoas não conseguem, via de regra, lidar com dúvidas em suas mentes.

Às vezes, há situações confusas, é claro. Marine Le Pen é uma dessas situações. Ela é melhor do que as alternativas, mas também é uma vadia burra, atacando seu próprio pai por declarações relativamente benignas sobre judeus. E apesar de ser a melhor que existe, ela realmente não é muito boa.

O mesmo com Viktor Orban. Ele fala muito bem, mas na verdade não faz nada. Ele se recusa a se afastar da UE, ou até ameaça. E na Hungria, na verdade, há uma opção muito mais hardcore no partido nacionalista Jobbik.

Isso deve ser tratado retratando-os como do nosso lado, mas ao mesmo tempo estimulando-os a fazer mais e ir mais longe, em vez de torná-los heróis extremos da maneira como fazemos com os nacionalistas reais.

E com os judeus, eles devem sempre ser todos maus. É por isso que eu nunca posto material "bom judeu". Eles devem sempre ser considerados puramente biologicamente maus.

Diante da polarização tóxica que vivemos, chega a arrepiar saber a origem dessa defesa da eliminação de nuances. Antes mesmo que a campanha presidencial de 2022 começasse, já ouvíamos as torcidas dos dois candidatos mais conhecidos repetindo o mantra.

Quem não for 100% Lula no primeiro turno ou fizer qualquer crítica a Lula, salvador da democracia intergaláctica, obviamente é bolsonarista envergonhado. Se você não é 100% Bolsonaro e não vota para reeleger o presidente no primeiro turno, obviamente é um lulista envergonhado.

A prática de taxar de bolsonarista (ou até fascista e nazista) quem critica Lula e de lulista (ou até de comunista e pedófilo) quem critica Bolsonaro tem origem numa prática política nefasta e que levou sociedades ao caos completo.

Não há crime nem ilícito em ser bolsonarista ou lulista, o problema não é exatamente o julgamento. A questão é a lógica de grupo. Qualquer sinalização de questionamento ou recusa em aderir completamente será vista necessariamente como alinhamento com o adversário, que é um inimigo intrinsecamente mau.

Esse raciocínio também leva a crer que o grupo do qual fazemos parte é intrinsecamente bom, o que é um passo para a barbárie. Por ser intrinsecamente bom, quando faz mal é em nome de um bem maior. Portanto, todo tipo de malfeito é admissível e bem–intencionado quando vem do grupo.

Há grupos em que existe um planejamento meticuloso para que se chegue a esse resultado. É o caso do nazismo, como mostra o *Mein Kampf*. Não é, no entanto, o caso de outros movimentos políticos posteriores. São ideias infecciosas que acabam se reproduzindo através das décadas, dos países, das culturas e dos mais diversos matizes políticos.

Sequestro cultural

Sempre "sequestre" os memes culturais existentes de qualquer maneira possível. Não se preocupe se o meme for originalmente judeu. Não importa.

As referências culturais e o relacionar a cultura do entretenimento aos conceitos nazistas têm o propósito psicológico de retirá–los do vazio de estranheza em que naturalmente estão, pela forma como têm sido tratados pela cultura até então, e torná–los parte do mundo do leitor.

Através deste método, também podemos usar a cultura existente para transmitir nossas próprias ideias e agenda.

É uma técnica utilizada principalmente para atrair jovens. Eles podem não ter um interesse inicial em política, mas vão ficar interessados ao ver *memes* e símbolos da sua cultura – principalmente *pop* e *gamer* – utilizados para falar de outros temas.

Serão atraídos primeiramente pela pessoa que parece legal porque gosta dos mesmos fenômenos culturais e dos mesmos *memes* que estão fazendo sucesso. Se a estratégia for bem conduzida, o próximo passo será o convencimento político.

Quebrando a narrativa mainstream expondo as contradições

Um de nossos maiores pontos fortes tem sido expor e zombar das óbvias contradições internas da narrativa mainstream.

Essas contradições internas criam uma situação em que, como método para polemizar, você pode usar seus próprios argumentos contra elas.

Exemplos dessas contradições incluem:

- Muros não funcionam x Israel deve ter um muro para se proteger;
- Não queremos que as pessoas se afoguem no Mediterrâneo x Devemos recompensar as pessoas que tentam atravessar o Mediterrâneo com asilo;
- Ambientalismo x Ajuda externa ilimitada para promover o crescimento populacional infinito no terceiro mundo;
- A automação é inevitável x Empregos que os americanos não terão pagarão nossas pensões e imigração em massa do terceiro mundo;
- A Guerra Civil Síria Brutal é responsável pela crise migratória x Apenas 20% dos imigrantes são sírios;
- Feminismo e homossexualidade x Imigração islâmica em massa;
- Kosovo x Crimeia;
- Gênero é uma construção social x Ser gay é biológico.

A lista é infinita.

Há todo um catálogo de contradições óbvias que todos os meios de comunicação concordaram em ignorar, e são muito fáceis para as pessoas entenderem quando você coloca as duas narrativas lado a lado.

Explorar as contradições do grupo oposto, no caso da mídia, demonizada pela *alt–right*, é algo muito fácil e poderoso. Todos nós somos contraditórios, faz parte da condição humana.

Não só mudamos de ideia como convivemos com pensamentos divergentes sobre um mesmo tema dentro da nossa alma. Gostamos, no entanto, de pensar que somos absolutamente racionais e coerentes.

Quando alguém vive de credibilidade e informação, como é o caso de veículos de comunicação e jornalistas, enfrentar a realidade das nossas contradições humanas é algo desafiador.

A reação mais natural é negar essas contradições e realmente acreditar na própria capacidade de decidir tudo de forma racional e objetiva, o que é negacionismo científico levando em conta o que já se sabe sobre o cérebro humano. É um movimento que fragiliza ainda mais a credibilidade e passa a ser explorado publicamente.

Ao ignorar a condição humana de lidar com contradições internas, a pessoa deixa de ficar vigilante com a expressão das próprias contradições. Em grupo é ainda mais complicado. A imprensa cria consensos internos onde não há consenso e isso torna todos os jornalistas mais vulneráveis aos métodos de exposição das contradições.

É algo especialmente útil para criar justificativas morais para ataques em massa, a real amálgama do grupo que explora frustrações internas e ressentimentos. Listo a seguir os métodos de ataque mais utilizados.

O segredo é tornar alvos pessoas cujas contradições já tenham sido exploradas de alguma maneira. Elas serão taxadas de más, mentirosas, não confiáveis. Assim, o grupo não terá freio ou culpas diante do impulso do ataque, que dá prazer e será visto como ação nobre.

Toda publicidade é boa publicidade

Devemos estar sempre atentos a qualquer oportunidade de atrair a atenção da mídia. É tudo bom. Não importa o quê.

A maneira mais óbvia de fazer isso é trollar figuras públicas e fazê-las reclamar sobre isso. Eu continuo pensando que isso vai parar de funcionar uma hora, mas isso nunca acontece.

Existem outras maneiras menos óbvias de chamar a atenção. Se você pensar em alguma, faça. (Mais sobre isso, abaixo, na seção "Métodos de Trollagem").

Os métodos de *trollagem* são algo que você com certeza já viu nas redes sociais. Aqui estão associados a neonazistas e *alt-right*, mas o método em si é reproduzido fielmente hoje por organizações progressistas como Sleeping Giants e apoiado pela própria imprensa.

Não significa que a cartilha da *alt-right* ou essa adaptação de *Mein Kampf* para a *internet* seja o ideário de onde saem essas práticas. Mostra o quanto a normalização delas é infecciosa. Chega ao ponto de serem reproduzidas pelos próprios alvos descritos no documento inicial e por movimentos feitos em defesa deles.

Métodos de Trollagem

Trollagem é algo de nível um pouco mais alto do que a redação normal de notícias, mas é bom entender os métodos e incorporá-los sempre que possível. Esta é uma maneira pela qual se pode criar incidentes, onde a mídia responde com indignação e não consegue deixar de dar uma cobertura infinita.

Temos um exército à nossa disposição para usar para os fins que desejarmos. Eles gostam de atacar pessoas na internet. Organizar campanhas é muito bom em todos os sentidos: energiza nosso pessoal, dá a eles algo divertido para fazer, ganha atenção da mídia e aumenta o nível de infâmia geral do site.

Isolamento e agressão em massa de figuras públicas menores

Um elemento central do nosso sucesso em chamar a atenção para nós mesmos foi isolar alvos individuais e maximizar a pressão sobre eles.

Existem duas maneiras principais de fazer isso.

Método 1

A primeira maneira é cobrir, jogar uma ampla rede e ver quem cai nela (que tal a metáfora mista?)

Judeus e mulheres são extremamente voláteis e quase sempre correm para a mídia e reclamam se forem atacados nas mídias sociais.

Se você encontrar algum pervertido esquisito aleatório, mulher ou judeu, você pode escrever sobre eles, atacá-los.

Isso funciona particularmente bem com jornalistas, blogueiros, políticos e figuras públicas. Também pode funcionar com figuras de entretenimento.

Se você postar as informações de mídia social deles, alguns de nossos leitores enviarão mensagens a eles. Se eles não responderem, tudo bem, você escreveu um artigo engraçado e informativo. No entanto, se eles responderem – ou alguém responder em seu nome –, você poderá responder à sua resposta, e sua resposta levará nossos leitores a responder em maior número. Então você tem um incidente.

Você pode arrastar isso com artigos de acompanhamento, que criarão uma cobertura de notícias contínua para o site, desde que você possa mantê–lo.

Isso aparentemente pode resultar em ações judiciais, que podemos ganhar, e que trarão o máximo de mídia.

[...]

Método 2
A segunda maneira é desenterrar informações públicas sobre uma pessoa e catalogá–las – em particular, suas postagens nas mídias sociais – *e usá*–las para destruir sua vida.

Geralmente, serão informações que um grupo de pessoas já desenterrou, mas que podemos catalogar e amplificar.

[...]

Pressionando figuras "conservadoras"

Figuras da mídia "conservadora" *são, por qualquer motivo, emocionalmente frágeis e podem ser facilmente intimidadas.*

Uma das primeiras grandes operações de trollagem do site, em 2014, foi uma campanha contra Alex Jones, que chamei de "Operação: Esposa Judia". Enviamos o Exército Troll para bombardear sua seção de comentários – tanto no Infowars.com quanto em suas contas no YouTube e no Twitter – com comentários sobre como ele estava cedendo aos judeus e atacando injustamente Adolf Hitler, porque ele tem uma esposa judia. Também tivemos pessoas ligando para o programa dele.

Ele nos respondeu várias vezes no ar e teve que fechar temporariamente sua seção de comentários.

Descobrimos mais tarde que sua esposa judia pediu o divórcio durante esse período e isso quase certamente estava relacionado.

[...]

Atribuindo motivações racistas a celebridades

Qualquer coisa a ver com celebridades será interessante para as pessoas, porque as pessoas estão interessadas em celebridades. Ao adicionar uma distorção nazista, você pode causar sérios danos.

Um dos artigos mais vistos do site foi um alegando que Tom Hanks estava desapontado com seus netos negros.

Tivemos outro grande sucesso de mídia quando afirmamos que Taylor Swift era nossa "Deusa Ariana" e que acreditávamos que ela fosse uma nazista secreta. A mídia estava literalmente obcecada com isso durante um ciclo de notícias, e estava escrevendo artigos sobre como Swift não poderia ser nazista – e dando explicações reais sobre por que não.

Nota: as próprias pessoas que trabalham na mídia foram doutrinadas com estereótipos sobre racistas serem retardados caipiras, então você pode fazê–los acreditar que você acredita em coisas que você não acredita muito facilmente, e eles vão promovê–lo para tentar tirar sarro de você.

O que era para ser um comportamento voltado a promover o extremismo político odioso de direita virou algo do cotidiano. Os métodos de *trollagem* são rigorosamente os mesmos aqui no Brasil, mas servem a várias ideologias.

Eu percebo nitidamente, porque já fui alvo de todos esses métodos tanto por *trolls* da direita quanto da esquerda. Foi após ler o manual do Andrew Anglin que entendi a virulência estratégica com pessoas conservadoras ou que simplesmente não aderem ao progressismo acrítico vigente na mídia.

Cito dois exemplos clássicos da utilização dos mesmos métodos para atacar mulheres jornalistas por grupos políticos extremistas: Miriam Leitão e Vera Magalhães. Basta procurar o nome das duas em qualquer rede social para ver os ataques.

É curioso que são as mesmas palavras, a mesma formação de grupo, as mesmas alegações. No entanto o grupo de esquerda acredita estar combatendo a direita representada pelas jornalistas enquanto o grupo de direita acredita estar combatendo a esquerda representada pelas jornalistas.

Ambos os grupos vão se dizer democratas ou a favor do povo enquanto se comportam de maneira autoritária, violenta e inaceitável. Isso já virou nosso cotidiano, ninguém mais liga. Quando uma ideia é infecciosa, o difícil é achar antibiótico. Espero que este capítulo sirva para você como vacina.

b. O que é discurso de ódio

Ouvimos frequentemente a seita do identitarismo dizer que age contra o "discurso de ódio" como forma de proteger a sociedade de uma escalada de violência. É uma tese que parte do princípio correto de que a barbárie não começa atirando um míssil, tem início em palavras violentas, na leniência diante delas e na escalada de violência.

Como diferenciar qual tipo de discurso potencialmente viabiliza a violência ou não? A tarefa é dificílima. Se alguém tivesse as respostas, hoje viveríamos no paraíso.

É da tentativa de identificar discursos que potencialmente levam à desumanização e normalizam a violência contra pessoas ou grupos que surge a ideia de "discurso de ódio", uma definição específica que ainda não existe no Brasil e não é pacífica no mundo.

O exemplo mais clássico é o da propaganda nazista, que associava judeus a ratos, por exemplo. Encadear mecanismos do tipo faz com que, depois de um tempo e de alargar aos poucos os limites das pessoas, passe a ser natural enfiar dezenas de seres humanos numa câmara de gás e depois, os corpos numa vala comum.

O mesmo aconteceu no genocídio em Ruanda, em que hutus mataram tutsis entre 1990 e 1994. Não era incomum que, nos programas de rádio, apresentadores se referissem aos tutsis como baratas e aos hutus moderados como auxiliares deles.

Classificar discurso de ódio é o primeiro passo para tentar interromper tragédias evitáveis enquanto elas ainda não partiram para o confronto físico. É um tema delicado porque os casos concretos são complexos e sempre com apelo emocional.

O risco é que se apele à necessidade de conter o discurso de ódio para praticar outra coisa, que é o cerceamento da liberdade de expressão de determinados grupos da sociedade.

Caso não haja atenção suficiente a esse risco, é um processo que pode se estabelecer muito facilmente por grupos da elite social com apelos emocionais e justificativas morais.

Entramos então na realidade de grupos que praticam o discurso de ódio para conter o discurso de ódio, sendo lenientes até com violência física porque se não cometer a violência física para conter o discurso de ódio, ele pode levar à violência física.

É precisamente o que aconteceu no início de julho de 2022 na Unicamp, em São Paulo. Alunos de um coletivo que se diz liberal convidaram três pré–candidatos ao legislativo pelo Partido Novo para falar sobre cotas raciais e financiamento universitário. Um deles era Fernando Holiday, que já foi integrante do MBL, Movimento Brasil Livre.

A União da Juventude Comunista, movimento interno do PCB, impediu o evento. Primeiro houve uma movimentação apenas de entrar no local com gritos de ordem e tambores. Mas depois se partiu para a agressão física. A decisão do cancelamento ocorreu quando uma militante cortou o fio do microfone com os dentes.

Influencers ligados à UJC, inclusive o candidato a governador do movimento, dizem abertamente nas redes sociais serem favoráveis à agressão física contra liberais e neoliberais. Alguns pregam inclusive a aniquilação física de adversários políticos.

Seria então um discurso de ódio que realmente escalou para um ato de ódio, certo? Mais ou menos. Se formos levar em conta os fatos e a realidade, não resta dúvida. Mas aqui falamos de identitarismo, onde tudo é relativo.

Como Fernando Holiday já foi do MBL, o discurso de ódio contra ele pode. Como a UJC prega ideais de esquerda, ela supostamente é pura, então pode defender matar os maus, os neoliberais defensores de banqueiros.

Existe uma definição da ONU para discurso de ódio, feita para viabilizar a Estratégia e Plano de Ação das Nações Unidas sobre Discurso de Ódio: "Todo tipo de comunicação verbal, escrita ou comportamental que ataque ou use linguagem pejorativa e discriminatória com referência a uma pessoa ou a um grupo com base no que eles são. Em outras palavras, com base em sua religião, etnia, nacionalidade, raça, cor, descendência, gênero ou qualquer outro fator de identidade".

Esses fatores podem ser os mais diversos a depender das circunstâncias de uma sociedade. A própria ONU cita o fator vocacional, que torna a profissão de jornalista uma identidade social de altíssimo risco em alguns ambientes, como em ditaduras do Oriente Médio.

O posicionamento político, a depender das circunstâncias, também pode ser uma identidade. Hutus que não se rebelaram contra a política que deu poder aos tutsis eram considerados iguais aos tutsis para os grupos genocidas.

Há duas coisas que o discurso de ódio definitivamente não é, segundo a ONU. A primeira tem a ver com governos e a segunda com religiões. "Não inclui comunicação sobre entidades como Estados e suas representações ou símbolos, oficiais públicos nem líderes religiosos ou princípios de fé".

Diante da nossa realidade, parece estranho. Pode sim existir crime de ódio questionando um Estado ou um princípio de fé levando em conta a definição inicial. Por que isso estaria aí? Porque estamos falando com a cabeça de quem vive num Estado laico e democrático, ainda que não seja uma democracia liberal, apenas uma democracia eleitoral.

Em ditaduras, é comum alegar que representa crime de ódio ou até terrorismo qualquer tipo de manifestação contra o governo central, a fé que ele impõe ou preceitos de uma moral religiosa defendida pelo governo.

Tomemos como exemplo concreto o Talibã, que proíbe mulheres de exercerem quase todos os atos de cidadania. Esse grupo controla um governo e alega diariamente que contrariar suas ordens é um ato de ódio que justifica prisões e tortura. Por isso o cuidado.

Esse ponto, apenas um no oceano de subjetividades em que navegamos, mostra a extrema dificuldade de ter uma definição realmente capaz de evitar o mal maior sem justificar algo ainda pior que ele.

A ONU já colocou regras que deixam bem claro que discurso de ódio não é apenas a fala. Inclui também *memes* e *cartoons*, o que é uma linha fina bastante polêmica em vários países.

O discurso de ódio pode ser veiculado através de qualquer forma de expressão, incluindo imagens, desenhos animados, memes, objetos, gestos e símbolos e pode ser divulgado *offline* ou *online*.

O discurso de ódio é 'discriminatório' – tendencioso, preconceituoso, intolerante – ou 'pejorativo' – em outras palavras, preconceituoso, desdenhoso ou humilhante – de um indivíduo ou grupo.

O discurso de ódio faz referência a "fatores de identidade" reais, supostos ou imputados de um indivíduo ou grupo em sentido amplo: "religião, etnia, nacionalidade, raça, cor, descendência, gênero", mas também quaisquer outras características que transmitam identidade, como como idioma, origem econômica ou social, deficiência, estado de saúde ou orientação sexual, entre muitos outros.

As plataformas de redes sociais parecem ter sua própria definição do que seria discurso de ódio. Embora as políticas de utilização, publicadas nos mais variados idiomas, sejam definições muito semelhantes às da ONU, a aplicação varia.

Não se pode exigir de empresas que tenham o mesmo compromisso com o espaço público que têm o poder público, a institucionalidade e a sociedade civil.

Um dos erros mais cometidos na análise das políticas contra "discurso de ódio" é considerar a máxima simplista de que plataformas são empresas privadas. Se você foi banido de uma, basta procurar outra.

Seria assim caso fosse uma venda de verdura do lado da sua casa ou uma ótica que você acha que não atende bem. Buscar outros não afeta sua vida porque aquela empresa específica tem poder limitado. Não é o caso das *Big Techs*.

É um mercado de poucos *players* e que trabalha canibalizando a concorrência. A lógica liberal só se aplica em mercados liberais, não é esse o caso.

Todas as empresas que começaram a rivalizar com os gigantescos Google, Facebook e Amazon foram compradas por eles ou esmagadas. O Twitter opera numa sintonia diferente, já que influencia aquilo que sai na imprensa, tem um peso diferente nesse circuito.

Dizer que existe um combate ao discurso de ódio é um método muito eficiente para silenciar determinadas vozes. Alguns imaginam que seja por ideologia. É muito comum quem se manifesta questionando as crendices de o identitarismo ser suspenso ou ter alcance diminuído nas redes sociais.

A hipótese ideológica obviamente existe. Mas há uma outra que mexe em algo ainda mais caro ao ser humano, o dinheiro. É uma forma excelente de manipulação e reserva de mercado.

Ao justificar que alguém está sendo restrito ou derrubado por "discurso de ódio", você pode favorecer um determinado grupo dentro de vários mercados. Como hoje, diversos ramos econômicos estão ancorados nas redes sociais, é um poder imenso.

Um caso famosíssimo é o do *youtuber* Monark, que foi banido do YouTube em uma decisão criada unicamente para ele por ter defendido a legalidade da criação de um partido nazista no Brasil.

Na gravação estavam três pessoas: o apresentador, o deputado Kim Kataguiri e a deputada Tabata Amaral. Ela foi a única contrária à ideia de legalizar o nazismo, os dois tiveram exatamente a mesma posição.

Não informaram ao público, no entanto, que a teoria apregoada por eles já foi aplicada em 1923, quando Hitler foi preso. Na prática, não funciona. Deixar livre esse discurso específico terminou em barbárie.

Chama atenção, no entanto, a diferença de tratamento dada pela plataforma e pelos membros da seita identitarista a um caso e outro. Deve ser uma grande coincidência que a ação mais efetiva é justamente onde há mercado a conquistar.

Monark era, até então, apresentador do *Flow*, um dos maiores fenômenos do universo brasileiro dos *podcasts* e um dos mais rentáveis do Brasil. Era, no entanto, um ponto fora da curva em uma tendência de operacionalização desse mercado.

Agências de publicidade têm, no Brasil, uma presença muito marcante na produção de *podcasts* cujos patrocínios são comercializados por elas. As mesmas agências atuam também na imagem das marcas, que pagam pelos anúncios e que são orientadas a ser mais "inclusivas".

Monark não tinha ligação com agências de publicidade, era um fenômeno da internet mesmo. Perdeu a noção do próprio crescimento e não percebeu o quanto o personagem que falava bêbado o que lhe viesse à cabeça poderia sacrificar o negócio, que ocupa fatia significativa de um mercado em ascensão.

O *podcast* foi transmitido ao vivo pelo YouTube, que tem algoritmos que derrubam imediatamente qualquer transmissão que toque uma música violando direitos autorais, por exemplo. Não foi derrubado.

Até o dia seguinte, mesmo com o corte exposto no canal do *Flow*, não havia nenhuma grande reação indignada. Isso só ocorreu depois que um *influencer*, que é estrela do identitarismo e famoso entre jornalistas, publicou o trecho cortado com o próprio comentário inflamado.

É um *influencer* frequentemente indicado pelo meio publicitário para palestras e treinamentos antirracistas financiados por empresas. No Twitter, passa a maior parte do tempo classificando ações de empresas e *influencers* como racistas e chamando de racista quem não concorda com ele.

A viralização não foi do vídeo original e não houve indignação espontânea. Houve uma viralização planejada por um grupo de *influencers* que diariamente faz ações semelhantes, cresce seus perfis, fica conhecido no universo da comunicação e dá mais e mais palestras sobre inclusão nas empresas.

Ainda que você discorde de mim, temos as consequências. O deputado Kim Kataguiri e Monark falaram exatamente a mesma coisa no mesmo lugar. As consequências foram diferentes. Só um deles não pode mais monetizar no YouTube e teve um canal que perdeu todos os patrocinadores.

Você não viu movimentação contra a monetização do canal do deputado Kim Kataguiri ou do MBL. Coincidentemente, não são concorrentes dos *podcasts* feitos por agências de publicidade que vendem o negócio do identitarismo.

O deputado obviamente foi atacado de forma dura. O MBL precisou se posicionar e gerenciar a crise. Não houve, no entanto, banimento. Esse movimento é algo que depende do poder econômico e o MBL atua com a sociedade civil e o poder político.

Meses antes, num debate em sua conta pessoal do Twitter, Monark acabou perdendo o patrocínio do iFood. A empresa publicou uma nota em que diz não poder manter a parceria por ser "comprometida com a inclusão".

Vejam que produto maravilhoso é o identitarismo. O iFood acumula reportagens sobre a exploração e as péssimas condições de trabalho dos entregadores, além das taxas abusivas sobre restaurantes.

Há uma briga mundial sobre o tipo de relação da empresa com os entregadores. Ela repassa a eles o risco do negócio? Repassa também o lucro, o bônus de quem corre risco? Tem responsabilidade sobre o que se passa com entregadores? O modelo de negócio é justo e sustentável?

São questões ainda sem respostas fáceis. O *Flow* era apresentado por um *podcaster* adepto da linha de liberalismo que dá total apoio ao modelo de negócio do iFood. Enquanto a marca estava apanhando de todos os lados, topava ser defendida por ele, que já falava as mesmas coisas.

Talvez diante da pressão do meio publicitário, tenha se sentido refém, como muitas empresas se sentem. Diante do escândalo com Monark, desfez a parceria como ato de emergência. No curto prazo, parece funcionar, mas dá a impressão de que não há método para tomada de decisões. Mina a confiabilidade do negócio.

Por outro lado, o iFood ostenta a aquisição do produto de luxo do momento, o identitarismo. Ao se dizer "inclusivo" porque rompeu com Monark, ele não é questionado pela imprensa e pelo identitarismo sobre suas práticas excludentes de negócio.

Até aqui vemos o YouTube atuando num caso muito público de forma polêmica, já que se questiona o cerceamento da liberdade de expressão, mas alega cerrar fileiras contra o discurso de ódio.

Suponhamos que o interesse econômico estivesse do outro lado. Alguém é processado por uma postagem de quase quarenta minutos dedicada a assediar a incitar, de forma velada e às vezes nem tanto, hostilidade e agressão contra uma pessoa. É um *influencer* que se apresenta mascarado mas monetiza o canal. O que o YouTube faria?

Eu conto. Aconteceu comigo. O advogado Claudio Castello de Campos resolveu abrir o processo porque minha família começou a receber diversas ameaças críveis depois da postagem do vídeo.

O YouTube contratou um dos maiores escritórios de advogados do Brasil para defender os autores mascarados do vídeo e ainda disse nos autos não ter como identificar quem eram os responsáveis. O juiz acreditou. Talvez imaginasse que o pagamento da monetização fosse feito jogando dinheiro pela janela do YouTube, não na conta corrente do responsável pelo canal.

Tempos depois, descobri quem eram os autores. Um deles tinha uma posição interessante na indústria de *games* e depois foi contratado como escritor e roteirista de um dos maiores anunciantes do YouTube no Brasil.

Por mais uma dessas coincidências, o vídeo está no ar até hoje. Derrubado logo em seguida foi o meu canal, que ficou sem fazer *lives* por 90 dias e nunca mais teve o mesmo alcance nem a mesma monetização. O motivo é que uns quatro anos antes eu havia guardado como privado um vídeo que, segundo o YouTube, violava direitos autorais. Obviamente, uma grande coincidência.

Citei esses casos concretos envolvendo o YouTube apenas para ilustrar uma realidade: não são as *Big Techs* que têm de ser encarregadas de lidar com discurso de ódio.

A definição precisa ser dada pela cidadania e pelas instituições. As eventuais formas de controle e penalidades também. Empresas privadas não são instituições de Estado e nem agentes sociais, são agentes econômicos.

Nessa posição de agentes econômicos, podem até fazer algo que, dentro do seu escopo de atuação, signifique mudança social. Mas cada um tem seus objetivos e o das empresas é o lucro.

O mesmo vale para o festival de ações de inclusão social por meio do patrulhamento de vocabulário feito por outras empresas privadas. Elas dizem que se trata de "combate ao discurso de ódio", uma definição que se tornou comum no meio publicitário. É pura fantasia.

Muitas das pessoas envolvidas nesse processo são bem–intencionadas. Procuram compreender o que podem fazer, mesmo sem querer, que magoe outras pessoas para poder mudar de comportamento. Isso é saudável e fazemos inclusive em pequena escala, nos nossos relacionamentos pessoais.

O problema é impor goela abaixo das pessoas, por meio de pressão de grupos de poder social e econômico, um conjunto de regras cuja base nem é clara.

Isso gera uma distorção importante. Esse grupo pode criar regras para intimidar, calar e tirar do xadrez econômico qualquer outro grupo ou ator que incomode ou seja concorrência.

O Alto Comissariado de Direitos Humanos da ONU elencou, em 2021, os cinco pontos de legislações de conteúdos *online* que ameaçam os Direitos Humanos. São eles:

1. Definição falha do que é conteúdo legal e ilegal;
2. Regulação terceirizada para empresas;
3. Ênfase exagerada em derrubada de postagens e prazos não realistas;
4. Falta de supervisão judicial sobre remoção de conteúdo;
5. Excesso de confiança em Inteligência Artificial.

Aqui não se cogita o cenário que estamos normalizando com a prática, aquele em que as instituições simplesmente abrem mão de atuar e delegam suas funções e a defesa da sociedade civil e das liberdades para empresas privadas.

É assustador que seja normalizado o processo em que uma pessoa ou perfil anônimo decida a definição de discurso de ódio – que nem a ONU ainda tem clara – e, com base nisso, aplique uma penalidade que inventou, geralmente, o escanteamento profissional e social do alvo.

Falsear o significado de discurso de ódio vira um pano de fundo bem amplo para justificativas morais da cultura do cancelamento, que está no coração do identitarismo.

Para além da distorção do significado, existe algo mais perverso, que é forçar como solução algo que é discurso de ódio por definição. Muitas pessoas que realmente querem combater o ambiente violento são levadas a crer que isso pode ser feito juntando um bando para boicotar uma outra pessoa, uma marca ou pedir a demissão de alguém.

Isso não é possível. O primeiro passo para combater o discurso de ódio, aquele que aniquila a individualidade e desumaniza pessoas, é não reproduzir esse discurso.

Na dinâmica da hipercomunicação das redes sociais, o apelo à urgência é uma ferramenta comum que dá muito engajamento. Também nos faz perder um pouco o fio da meada. Por isso é tão fácil você ver gente bem-intencionada praticando exatamente o que deseja combater.

No caso do combate ao discurso de ódio, o principal ponto a se ter atenção é o da argumentação moralista em substituição à de eficiência do método.

Quando um grupo quer promover uma ação contra o discurso de ódio, o mínimo que se espera é clareza sobre os resultados, de que forma aquela ação vai ter resultados. Ocorre que isso é raríssimo de se ver.

Acabamos enredados por um truque retórico muito eficiente, que é o apelo moral unido à sensação de urgência e nos levar a crer que "ninguém está fazendo nada". Tomando decisões rápidas e sem pensar nas consequências, muita gente que busca combater o discurso de ódio acaba se engajando nessa prática.

Respirar antes de agir e ter sempre em mente qual a consequência final da ação são boas dicas para esses tempos de tanto tumulto social.

CAPÍTULO 9

O CAPITALISMO AVANÇA SOBRE PAUTAS SOCIAIS

Em 20 de novembro de 2020, Dia da Consciência Negra, o Carrefour ganhava destaque absoluto em uma coluna importante do jornal *Folha de São Paulo*. Não é o que você está pensando.

A empresa havia investido uma tonelada de dinheiro para que todas as filiais embarcassem na campanha pela inclusão com a *hashtag* #TodesMerecemRespeito. Impulsionada à base de dinheiro, ela chegou a ganhar fôlego nos *trending topics* do Twitter.

Naquele mesmo dia, no entanto, o Carrefour ganharia todas as manchetes da imprensa inteira por um caso chocante de violência e racismo. Um cliente negro foi espancado até a morte por seguranças da empresa.

A tal da campanha pela inclusão obviamente não funcionou nem dentro do próprio Carrefour. Foi dinheiro jogado fora e numa quantia que poderia ser usada para que a segurança das lojas tivesse um mínimo de treinamento. Poderia ser útil para evitar desde tragédias como essa até episódios menos violentos de preconceito.

O assassinato de um cliente negro dentro de uma loja em pleno Dia da Consciência Negra em uma das redes supermercadistas mais famosas do mundo poderia ser suficiente para atestar a ineficiência completa da mistura entre moralismo e consumo.

Na verdade, atesta a ineficiência. Mas fazer algo eficiente exigiria mudanças profundas. É um cálculo que muitos fazem com cuidado, principalmente depois que a seita identitarista estendeu seus tentáculos sobre a imprensa.

Lançar uma caríssima campanha baseada numa *hashtag*, em patrulhar quem não usa a palavra *todEs* nas redes sociais e em colar cartaz em loja pode ser algo confundido com fazer campanha contra o racismo ou pela inclusão.

Depois do assassinato, a rede supermercadista também optou por aplacar os ânimos do identitarismo em vez de promover mudanças reais. Contratou um conselho com uma função antirracista, composto pelos nomes mais famosos do tema na imprensa e redes sociais.

Por outro lado, na ação judicial prevendo indenização da família da vítima, a proposta financeira foi a mesma feita antes no caso do assassinato de um cachorro vira-lata numa loja do Carrefour.

Ou seja, o tal "conselho de notáveis" não conseguiu, na prática, nem fazer com que o aporte financeiro para indenizar a família do cliente negro assassinado na loja fosse maior que o oferecido para indenizar a sociedade pelo assassinato de um cachorro.

Deveria ser a prova de que isso não funciona e, portanto, a eliminação da publicidade brasileira dessa mistura bizarra e perigosa entre consumo, moralidade e controle de espaços profissionais.

Ocorre que não funciona para promover diversidade ou combater preconceitos. No entanto, funciona muito bem para que as empresas mantenham todos seus problemas estruturais e de inclusão mas finjam ter resolvido e inclusive posem de agentes da mudança.

O empreendedor da área de saúde Vivek Ramaswamy escreveu no ano passado o provocativo *Woke, Inc. – por dentro da fraude da justiça social na América corporativa*. Ele é um empresário multimilionário de origem indiana que investe nos Estados Unidos. Diz-se um traidor da própria classe no livro.

Deveria dar *spoiler* da obra, mas não vou. Merece ser lida de capa a capa. Como estudante das prestigiosas universidades da Ivy League e frequentador das altas rodas de milionários dos Estados Unidos, ele consegue explicar perfeitamente a fraude do identitarismo.

Dividimos as pessoas em classes demográficas como se fossem massas estanques e amorfas, sem individualidade, uma casta a oprimir e outra a ser oprimida, independentemente das ações individuais ou dos fatos.

Vivek Ramaswamy descreve em seu livro como o identitarismo ajudava a limpar a imagem de um banco de investimentos que já estava com problemas sérios e em meses seria o centro de um escândalo de proporções planetárias.

Havia uma espécie de programa de plantio de árvores no final de semana, com alto investimento em anúncios e ampla cobertura da imprensa. Na verdade, ninguém nem plantava árvores. O negócio era ir ao local para tirar fotos, beber, circular e garantir as reportagens favoráveis. Diz o autor na apresentação do livro:

> Ao misturar moralidade com consumismo, as elites americanas se aproveitam de nossas inseguranças mais íntimas sobre quem realmente somos. Eles nos vendem causas sociais baratas e identidades profundas para satisfazer nossa fome por uma causa e nossa busca por significado, em um momento em que nós, como americanos, carecemos de ambos.

Meu amigo Leonardo Lopes, historiador, que não havia lido o livro quando tivemos a conversa, chega à conclusão parecida. O identitarismo encontra terreno fértil nas sociedades onde há carências da alma, principalmente um propósito e um significado para a vida.

Para o empresário e historiador, o espaço que o identitarismo ocupa na vida das pessoas é muito semelhante àquele ocupado pelas religiões. À medida em que sociedades ocidentais se secularizam, mas as dores da alma continuam as mesmas, surgem alternativas. O capitalismo obviamente dá conta de providenciar uma das melhores.

Esse remédio para a alma da elite urbana com culpa burguesa é, ao mesmo tempo, uma vacina que impede a formação de massa crítica intelectual contra práticas abusivas do próprio capitalismo.

O caso dos bancos brasileiros é lapidar. Temos um dos sistemas bancários mais exploradores e excludentes do mundo, senão o mais. Os poucos bancos tradicionais confiam sua imagem e sua propaganda a defensores cegos do identitarismo.

Um dos casos mais interessantes é a gigantesca mobilização para defender contra o assédio a Bia, inteligência artificial criada para atender clientes do Bradesco. Foi lançada uma campanha milionária em defesa da mulher e contra o assédio mostrando os xingamentos feitos contra a inteligência artificial do banco.

A "ação" tomada pelo banco foi reprogramar a inteligência artificial para que ela prontamente se manifestasse duramente condenando o assédio moral ou sexual quando viesse de um cliente.

Não é uma ação ruim. Também não é uma ação inclusiva, é apenas a que faz menos diferença para o banco. Os xingamentos são, em sua maioria, porque o sistema da inteligência artificial não funciona bem. As pessoas não conseguem fazer o que precisam e ficam frustradas.

Poderia ser reprogramada para atender melhor o cliente ou ter algum tipo de suporte humano. Não foi feito. Apenas se coloca o fator "moralizador" voltado apenas contra o cliente, jamais contra a instituição.

A tal "Bia" virou um símbolo da luta contra o assédio sexual. Lembro que, na época do lançamento, achei muita graça. Depois de velha, já tive de pedir demissão de um emprego devido a assédio sexual. Não é crime de desejo, é de ódio.

Num jantar de trabalho, o assediador enfiou a mão no meio das minhas pernas. Entendi que seria possível cortar relações com ele, nem trabalhava no mesmo departamento que eu.

Não foi assim e na maioria dos casos não é. Resumindo uma história longa, como o assediador me seguia sistematicamente, fui aconselhada por especialistas em segurança a pedir demissão.

Imaginem onde foi feita a programação especial de lançamento da Bia, a nossa grande jihadista contra o assédio sexual? Exatamente nessa empresa. Não há compromisso com a causa ou com a realidade, apenas se oferece a oportunidade de vestir uma causa como se fosse uma roupa de luxo.

Outras marcas aderiram. Magalu, Amaro, Vivo, Natura e Ultragaz, por exemplo, também programaram suas assistentes virtuais para combater o que seriam comentários machistas ou assédio sexual.

Um problema específico está em saber como isso é identificado exatamente. Se você já tentou conversar com esses assistentes virtuais sabe o quanto são ineficientes. Teriam ficado eficientes somente para isso, a detecção de assédio? Óbvio que não.

O que se faz é uma adaptação simplista da identificação de algumas palavras que passam a ser consideradas como assédio sexual ou misoginia. O melhor exemplo é "vagabunda". Evidente que se trata de um xingamento sexista. Mas você pode dizer que entregaram uma batedeira vagabunda ou que a inteligência artificial é vagabunda.

A desculpa da inclusão, de criação dos *"safe spaces"* e de luta contra racismo, misoginia e homofobia veste como uma luva para mascarar a precariedade do atendimento ao cliente de grandes empresas. Impedem que algumas palavras sejam utilizadas nos *chats*, aleatoriamente. Garantem que é pela inclusão.

Empresas não são feitas para garantir inclusão com ações sociais e não vão conseguir isso. Empresas são feitas para atender demandas de melhoria e desenvolvimento da humanidade, produzindo lucro de forma sustentável.

É pela evolução do negócio em si que a empresa inclui. O negócio é o coração, não o acessório. Existe uma diferença entre empresas e instituições de caridade.

Grandes conglomerados internacionais vocalizam de maneira insistente que combatem os sistemas sociais responsáveis por garantir o lucro de seus acionistas. Há quem acredite.

Existem fórmulas econômicas de desenvolvimento social até no sistema financeiro. Talvez a mais conhecida do mundo seja o Grameen Bank, que ficou famoso como "banco dos pobres", fundado por Muhammad Yunnus em 1983.

Ele efetivamente revolucionou o destino dos miseráveis do país com microcrédito e regras inovadoras. Yunnus ganhou o Prêmio Nobel da Paz de 2006. A instituição existe até hoje, é sustentável e dá lucro. O modelo de negócio foi feito para atender esse público.

Seria possível que bancos brasileiros operassem assim? Talvez. Mas isso implicaria um baque nas já sedimentadas estruturas econômica e política do país. Por enquanto, tem sido muito eficiente fazer propagandas "inclusivas".

O banco faz cartazes só com pessoas negras e espalha pelas agências. Sempre vejo como é útil, já que entre funcionários e clientes quase não há negros, principalmente na área VIP. Pelo menos assim equilibra. É esse tipo de "inclusão" que o identitarismo proporciona.

Outro modo de posicionar uma marca como inclusiva é fazer com que ela se alie a movimentos de linchamento virtual de personalidades vistas como racistas, homofóbicas, misóginas ou transfóbicas. A epítome desse método é a conta de internet Sleeping Giants, queridinha das agências de publicidade brasileiras.

Um caso famoso é o do ex–jogador de vôlei Mauricio Souza, que falou contra o personagem do Superman bissexual. Imediatamente as duas marcas que o patrocinavam se posicionaram, Fiat e Gerdau. Ele ainda jogava. Elas decidiram encerrar o contrato. Não aceitavam que uma pessoa fosse tão sectária a ponto de criticar o Superman bissexual.

A Fiat é a montadora que fez os carros oficiais de Adolf Hitler, Benito Mussolini (1883–1945) e de Francisco Franco (1892–1975). Se há uma empresa que deveria entender sobre redenção e evolução do conceito individual e coletivo de tolerância, é justamente ela.

A empresa resolve negar a um cidadão, por uma única fala, a compreensão que ela teve diante de decisões coletivas e reiteradas de apoio aos regimes mais bárbaros da história recente. Claro que não se pode reduzir toda a história da empresa a esse ponto. Exatamente por isso jamais foi feito.

Ocorre que a empresa agora lança mão dos métodos do identitarismo para reduzir a vida e a história de alguém a uma única declaração. Isso seria a justificativa para romper uma longa relação de negócios. Ou seja, a imagem é de que a empresa continua sem saber direito até hoje como escolher com quem se relaciona.

A Gerdau é um dos maiores conglomerados siderúrgicos do mundo. Romper a relação com um jogador de vôlei foi a sinalização perfeita, utilizando as armas do identitarismo, de sua luta pela inclusão.

Uma empresa desse tamanho pode, sim, promover inclusão por meio de sua atividade–fim, a siderurgia. Inclusive pode promover inclusão pela revisão de processos internos e gestão de pessoal.

A empresa esteve ao lado de todos os governos da ditadura militar no Brasil. É natural que uma potência econômica brasileira esteja ao lado de todo governo que assumir, não está na alçada dela a preferência política, mas o desenvolvimento econômico.

Não se confunde a história pessoal dos empresários com esse momento. Mas, no sarapatel de coruja do identitarismo, entrar num ataque coordenado para fazer alguém perder o emprego significa ter virtude.

A empresa pode fazer isso de forma calculada, mas a maioria dos que seguem realmente crê que participa de algo importante e está interferindo de maneira positiva na sociedade. Ao mesmo tempo, consegue colocar para fora sua agressividade e seus ressentimentos sob uma capa de moralidade. Não faria assim se não fosse contra alguém tão mau.

Eu acabei metida no meio de uma dessas com o tal do perfil Sleeping Giants. Ele atende bem aos desejos de quem anseia por algo com significado, sobretudo porque modera as palavras, não verbaliza a virulência das próprias ações.

É uma iniciativa que alega "desmonetizar discurso de ódio". A rigor, fazer campanha contra pessoas determinadas também é discurso de ódio, como explico no capítulo sobre o tema. Então se faz discurso de ódio para que empresas sejam coagidas a não investir no discurso de ódio de outras pessoas.

Ocorre que não é bem esse o modo de operação e digo pela minha experiência. Uma pessoa que escrevia no mesmo jornal que eu fez um vídeo em seu canal pessoal de YouTube com uma declaração muito ruim sobre estupro.

O que seria a "desmonetização"? Desmonetizar o canal dele, certo? Errado. O Sleeping Giants entrou numa cruzada para que esta pessoa fosse demitida de todos os seus empregos. Uma das primeiras demissões foi na empresa onde eu denunciei assédio.

Sempre na linguagem passivo–agressiva, o perfil até então anônimo escreveu o seguinte, me marcando numa rede social:

> "Oi, @madeleinelacsko, tudo bem? Sempre acompanhamos a sua coluna e gostaríamos de saber a sua opinião sobre a fala de (nome do *influencer*), na qual ele culpabiliza a vítima de estupro, você concorda com seu colega de trabalho? #DemiteGazeta".

Já havia sido publicado no jornal um pedido de desculpas. O perfil mente sistematicamente dizendo que marcou "outras colunistas" do jornal. Marcou a megaempresária e Shark Tank, Camila Farani. Não marcou nenhuma outra jornalista que vivesse desse vínculo de trabalho.

Ou seja, para combater assédio sexual, a ação do identitarismo é pedir a uma vítima de assédio sexual que elogie quem a forçou a pedir demissão e condene a única empresa que a acolheu imediatamente após o escândalo e sabendo das potenciais consequências.

Diante da minha indignação, a resposta foi a seguinte:

> Oii @madeleinelacsko, tudo bem? Conjuntamente com nossos seguidores achamos que não faria sentido cobrar uma voz obviamente destoante dá do colunista da @gazetadopovo, por isso apagamos o *post* antes de vermos sua resposta e pedimos desculpas pelo equívoco (*sic*).

Os seguidores do perfil passaram a me xingar sistematicamente nas redes. Alguns começaram a gravar vídeos dizendo que eu havia mentido sobre o assédio e deveria ser demitida também porque senão acusaria outro empregador de assédio. O movimento virou uma espécie de esporte, praticado até hoje.

A campanha de "desmonetização" passou a ser sobre os anunciantes do jornal. Com a mesma linguagem passivo–agressiva, o perfil exigia que retirassem seus anúncios até que o colunista fosse demitido. Posteriormente, o colunista foi recontratado pelas emissoras que o demitiram na ocasião.

Nenhuma das contas de "desmonetização" apresentada por este perfil e por outras iniciativas do tipo é de longo prazo, sequer de médio. A exposição e o exagero do justiçamento acabam muito rapidamente gerando empatia e um efeito reverso.

Anos depois, um jornal alinhado ideologicamente ao identitarismo esteve no olho do furacão do caso com o qual eu abro este livro, a exposição cruel do drama vivido pela atriz Klara Castanho.

A diferença é que agora a publicação foi feita no jornal. Houve campanha de desmonetização? Não. Obviamente foi uma coincidência.

O mecanismo de tornar participante de uma causa quem ataca outras pessoas também aumenta o poder das marcas e agências envolvidas com a fraude do identitarismo.

Elas têm o condão de escolher quem serão os alvos sem ter de dar nenhum tipo de justificativa. Também têm o condão de escolher quem são os cidadãos exemplares, os que não podem ser questionados e cuja sinalização de ataque precisa ser seguida por todos os que fazem parte da "luta".

Uma grande empresa de telecomunicações decidiu recentemente fazer uma nova abordagem do identitarismo e da inclusão. Em vez de melhorar seus serviços ou atender melhor os clientes, contratou *influencers* que "espalhem gentileza" nas redes sociais.

Ao fazer isso, a empresa, o mercado publicitário e, em última análise, o mercado da comunicação chancelam o comportamento dos *influencers* contratados.

Pelo menos dois são ligados a grupos de *gamers* que entraram no debate político e defendem abertamente a eliminação física de adversários, principalmente de liberais. Exemplifico algumas frases de "gentileza" desses perfis:

> "Me deixa ser racista e transfóbica seus radicais. Senão eu vou comparar vocês com bolsonaristas e chamar de milícia" É o que dizem as brancas "progressistas" desse site.
>
> São umas cuzona. Dá ódio, vergonha. Pqp
>
> Foi só expor uma mulher branca racista e transfóbica que os cavaleiros do apocalipse da branquitude apareceram tudo de uma vez. De liberal e Advogada bolsonarista até comediante bolsominion arrependido. Parabéns (agradece quem fez a postagem de ódio inicial).
>
> Fica o aprendizado pra vocês também viu. Qualquer branca com frase bonita e #ForaBolsonaro vocês já começam a adorar sem senso crítico. Aí da nessas coisas aí. As princesinhas do progressismo sendo desmascaradas como umas desgraçadas racistas e transfóbicas
>
> É uma desgraçada mesmo.

Você pode ter várias opiniões sobre essas frases e até muitas dúvidas. Há algo, no entanto, que é ponto pacífico: não é gentileza. No entanto, é o que o identitarismo está vendendo como exemplo de "gentileza".

Contratar esse perfil para "espalhar gentileza nas redes sociais" não faz nenhum sentido. Ele não vai espalhar gentileza nenhuma, mas faz parte do ecossistema que vende o identitarismo, o aplacamento da culpa burguesa e do vazio da alma carente de propósito e significado.

A linguagem de luta e de guerra também dá a sensação de que o grupo está fazendo algo grandioso. Na verdade, são pessoas que estão atrás de um computador xingando alguém ou pedindo que outra pessoa seja demitida, sem imaginar nem as consequências caso isso dê certo.

a. A incapacidade de lidar com a realidade

O identitarismo está, aparentemente, ganhando no discurso no ambiente universitário, na publicidade e em grande medida até na imprensa. Ele só não ganha em um campo, o da vida real.

Todo o discurso é centrado na criação de uma mentalidade de matilha, que não será suficiente para perceber nuances e propor soluções concretas para os problemas apontados.

O identitarismo geralmente vai alegar que "não se pode exigir" de minorias que resolvam os problemas criados pelas maiorias opressoras. Como todo o imaginário é apenas moral, desconectado da solução prática, faz sentido.

Passemos à vida real. Você tem neonazistas que criam tensões raciais no mundo todo, grupos radicais que estão crescendo e fazendo um número incrível de vítimas.

Devemos pedir a esses neonazistas que consertem o estrago que fizeram e dizer que não podem exigir das suas vítimas que sejam fortes o suficiente para construir uma sociedade melhor? É o que propõe o identitarismo, um sistema em torno de culpa e moral.

O que acontece quando esse arcabouço de crenças é colocado no lugar da produção de conhecimento nas universidades? A criação de todas essas teorias amalucadas e sob medida para aplacar a culpa burguesa.

No livro *The Coddling of The American Mind*, Jonathan Haidt e Greg Lukianoff, é defendida a tese de que temos uma geração vivendo contra três grandes axiomas da humanidade.

Eles são ensinados ao revés e por isso não têm sucesso na vida, são muitas vezes incapazes de lidar com as próprias frustrações e com os desafios mais corriqueiros da fase adulta.

As três grandes mentiras propagadas pelo identitarismo seriam: "o que não te mata te enfraquece; sempre confie nos seus sentimentos; a vida é uma batalha entre pessoas boas e pessoas más".

Toda a liberdade de pensamento e de expressão são suprimidas nessa lógica. O puritanismo, os justiçamentos macartistas e a celebração da intolerância passaram ao centro da vida do progressismo identitário.

O mais interessante é que se defende pluralidade, inclusão e multiculturalidade, mas os métodos são justamente o oposto. São feitos todos os esforços de pressão social para produzir um pensamento único com o objetivo de pluralidade.

A última fronteira do identitarismo é a gordofobia. Obesidade é doença. Se alguém trata mal pessoas gordas ou ri delas, estamos falando de alguém torpe. Mas isso não significa que ser gordo seja bom.

Há pessoas gordas muito bonitas e há outras feias. Existem pessoas gordas que não tem problemas de saúde? Devem existir. Isso não significa que devemos incentivar as pessoas a ficar acima do peso.

Quer dizer, se você pensar na saúde e qualidade de vida dessas pessoas, não deve incentivar mesmo. Mas aí tem uma oportunidade interessantíssima de mercado.

Se você já precisou emagrecer para manter a saúde, sabe a tortura que é. Existe um mercado enorme de emagrecimento que, em sua maioria, nem está preocupado com saúde, mas com padrões de beleza. O mercado *plus size* é mais ou menos a mesma coisa.

Vamos deixar a saúde de lado e focar só em beleza, em se sentir bem. O mercado de roupas *plus size* movimenta, só no Brasil, R$ 5 bilhões por ano, segundo o relatório anual 2021 da Associação Brasileira Plus Size. O segmento cresce, em média, 21% ao ano.

É evidente que precisamos ter roupas para atender às pessoas que estão acima do peso. Mas você consegue potencializar vendas se criar uma cultura em cima disso. Quando se fala em "gordofobia", e essa é uma palavra usada para calar pessoas, estamos num outro patamar.

Atualmente, nas redes sociais, médicos endocrinologistas e até a Sociedade Brasileira de Endocrinologia e Metabologia penam para não ter suas postagens médicas e científicas derrubadas.

A regra das redes não é a da justiça nem a da verdade, é a da cultura do cancelamento. Ou seja, o justiçamento é incentivado também porque gera muitos cliques.

Nesse justiçamento, um *post* sobre Índice de Massa Corporal, por exemplo, pode ser denunciado em massa por gordofobia. Aliás, pode ser inclusive derrubado.

Muita gente vai focar na questão da liberdade de expressão, dizer que é possível procurar outra plataforma concorrente para postar ou qualquer platitude do gênero.

Ocorre que uma empresa, a rede social, já decidiu que vai maximizar as condenações públicas por gordofobia e promover os grupos que se posicionam como combatentes antigordofobia.

Já sabemos quais os grupos que terão mais ou menos voz na sociedade e na imprensa. Não importa quem está com a razão ou quem se importa com saúde.

Fica decidido qual o lado que terá mais eco, aquele que gera menos problemas de imagem e derrubada de postagens. Se vai gerar o problema de fazer gente morrer, daí não importa.

Um dos casos icônicos do delírio identitarista foi protagonizado pelo *youtuber* conservador Steven Crowder. Ele resolveu documentar em vídeo algo que foi feito no livro *Teorias Cínicas*[8] por Helen Pluckrose e James Lindsay.

Eles juntaram vários intelectuais que já não aguentam mais o identitarismo invadindo as universidades e escreveram estudos sem nenhum fundamento, completamente estapafúrdios. Mas eles colocavam ali as palavras certas para dar a entender que eram membros da seita do identitarismo.

---

8. Barueri: Avis Rara, 2021.

Muitos desses estudos foram aprovados e até publicados em revistas científicas. O meu preferido é o que falava da cultura do estupro nas sociedades caninas. Ele partia da observação de um parque para cachorros em Londres durante um mês.

Nada disso foi filmado. Steven Crowder resolveu documentar em vídeo, o que torna tudo muito mais engraçado. Ele mirou no mais aberrante dos movimentos identitaristas, que é o orgulho gordo.

O *youtuber* se vestiu de mulher de um jeito bem tosco e conseguiu ser aceito para uma conferência acadêmica real do departamento de "*Fat Studies*" da conceituada Massey University, na Nova Zelândia.

O título do trabalho é sensacional: "Aceitar a obesidade como autocuidado na era Trump".

A tese central é que, em uma ocasião, o ex–presidente Donald Trump foi gordofóbico com ninguém menos que o ditador da Coreia do Norte, Kim Jong–Un. Por isso, os Estados Unidos precisariam aceitar que é necessário ficar gordo para resistir ao ódio.

Até o *New York Times* entrou na dança, sendo classificado como gordofóbico por ter várias reportagens sugerindo que dieta balanceada e exercícios físicos são formas de autocuidado.

Só pelo título e pela ideia de um ditador norte–coreano oprimido por gordofobia numa declaração ninguém leva a sério. Quer dizer, quase ninguém. O ambiente universitário hoje realmente considera que esse tipo de delírio seja conhecimento.

A grande questão é como o Steven Crowder conseguiu ser aceito na conferência. O vídeo da palestra dele está no YouTube e é um dos mais sensacionais que eu já vi na vida. A cereja do bolo são os comentários posteriores dos professores.

Ele fez um texto de candidatura que o transformava na cartela completa do bingo da opressão do identitarismo. Como se colocou como alguém representante de todos os tipos de opressão, a universidade considerou qualquer delírio vindo dali como produção de conhecimento. Traduzo a carta:

> Olá, eu sou a Sea Matheson. Eu sou uma ativista de Austin, Texas, trabalhando especificamente com a comunidade não binária e gorda para ajudar a aumentar a presença de pessoas

interseccionais e não binárias nos eventos em Austin, como Marcha das Mulheres, Marcha por Nossas Vidas, e, mais recentemente, as greves climáticas globais. Meus pronomes preferidos são ela e dela. E fico emocionada por apresentar e ter meu artigo, 'Aceitar a obesidade como autocuidado na era de Donald Trump', aceito aqui na Conferência de Fat Studies da Nova Zelândia.

O espaço é um elemento importante do autocuidado. É uma ferramenta para criar tanto espaço ideológico quanto físico, é a gordura. Quando eu era mais jovem, em várias ocasiões, fui tocada ou acariciada sexualmente e, em algumas dessas ocasiões, foi feito sem minha permissão. Então, na faculdade e pós–graduação, no entanto – e neste ponto, para ser clara, eu ainda não me identificava como gorda –, um dia tudo isso mudou. Eu estava abastecendo meu veículo em um posto de gasolina próximo e, enquanto pegava meu recibo, um homem estendeu a mão e tentou me tocar sexualmente. E percebi que não estava preocupada.

Agora, por que eu não estava preocupada? Porque entendi que, naquele momento, por causa do que, neste momento, eu estava me referindo como meus quilos de caloura – minha gordura recém–descoberta –, esse estranho, independentemente de sua determinação, teria muito mais dificuldade em agarrar minha genitália sem meu consentimento. E foi aí que comecei a explorar a ideia de que a gordura pode ser autocuidado.

Daquele ponto em diante, eu escolhi ativamente – eu me identifiquei como gorda.

É preocupante que professores universitários responsáveis por orientar a produção de conhecimento não tenham percebido que é uma piada. O texto é completamente estapafúrdio, sem pé nem cabeça.

Mas, como se trata de uma pessoa que diz ser trans, lutar por não binários, ser ativista e deixar explícitos todos os marcadores de discurso utilizados pela seita do identitarismo, foi aceita para fazer algo que não tinha a capacidade de fazer.

Como chegamos a um estado de coisas em que intelectuais vivem isolados num mundo imaginário de fantasias coletivas, que se desdobram em regras de convivência reais?

O jornalista franco–argentino Alejo Schapire, autor de *La Traición Progresista*[9], aponta como fenômeno inicial a reação de Hollywood ao evento envolvendo Salman Rushdie em 1998.

Sua obra mais famosa foi, *Os Versos Satânicos*. Um dos versos foi considerado ofensivo ao islã pelo então governante todo–poderoso do Irã, Aiatolá Khomeini (1902–1989). Ele tomou a decisão de lançar uma *fatwa* contra o escritor.

Fatwa é uma ordem religiosa. Significava que todos os "muçulmanos zelosos" teriam, a partir daquele momento, o dever de assassinar Salman Rushdie.

O caso foi tratado no mundo todo com a gravidade que teve. A segurança do escritor virou uma coisa de filme, ele teve a vida revirada de cabeça para baixo.

Pela primeira vez, surgiram lideranças da esquerda supostamente democrática nos Estados Unidos relativizando a intolerância, o puritanismo, a violência política e a ditadura religiosa.

No raciocínio torpe que se vocalizava ali em grande escala pela primeira vez, muçulmanos são oprimidos e são minorias. Portanto, a ofensa feita contra o que é mais sagrado para eles pode realmente gerar reações assim.

O livro de Schapire vai mostrando como esse raciocínio justificando ações de líderes que são contra democracia, direitos das mulheres, liberdade religiosa e liberdade sexual povoa o imaginário de quem se diz progressista e conflita com a realidade.

Vemos progressistas europeus defendendo com unhas e dentes as minorias muçulmanas. Essas minorias têm seus princípios, valores e uma moral milenar da qual não abrem mão.

O progressismo abriu mão de seus princípios, valores e moral em nome de um ideal de multiculturalismo que não se verifica na realidade.

Resolveu se dar o nome de multiculturalismo à aceitação tácita de violações de direitos humanos, apagamento de mulheres, naturalização de ditaduras violentas e até, no caso concreto, uma ordem para assassinato de quem escreveu um livro.

---

9. Barcelona: Edhasa, 2019.

A relativização de tudo, a obsessão puritana e os julgamentos morais pesados por grupos militantes podem levar a estragos muito maiores. Um dos exemplos mais gritantes é o uso de bloqueadores de puberdade e cirurgia de reversão sexual em adolescentes.

Experimente fazer qualquer questionamento. Imediatamente você ouvirá que sua linha argumentativa é transfóbica. O mais surpreendente é ignorarem de onde vem a primeira política pública para cirurgias de reversão sexual, do Irã.

Na terra dos aiatolás, a homossexualidade é punida com pena de morte. Mas, se uma pessoa nessa situação quiser fazer cirurgia de reversão sexual, tem até subsídio do governo. O argumento é puramente moral, não tem nada de saúde envolvido.

Relação entre duas pessoas do mesmo sexo é um crime na visão dos aiatolás. Então usam a medicina para mudar o sexo de uma e deixa de ser crime.

No Ocidente, a discussão é bem diferente. A terapia de reversão sexual foi criada inicialmente para tratar homens de meia idade que se identificam como mulheres e tinham problemas psicológicos.

Estamos falando aqui de adultos com experiência de vida e o corpo completamente desenvolvido. Em poucos anos, a cirurgia de reversão sexual começou a ser recomendada para adolescentes. Deveria ser seguida do tratamento com bloqueadores de puberdade.

A justificativa dada é que a disforia de gênero acaba levando ao suicídio. Desde o início da propagação dessa teoria, o American College of Pediatricians dizia que a intervenção era abuso infantil[10]. São normais as dúvidas sobre identidade de gênero durante a puberdade. No entanto, após a adolescência, a questão simplesmente se resolve sozinha para 98% dos meninos e 88% das meninas.

Mesmo após transições, as taxas de suicídio na população trans ainda são 20 vezes superiores às taxas da população em geral. O que justificaria antecipar uns poucos anos o tratamento? Quantas vidas

---

10, Cf. https://especiais.gazetadopovo.com.br/ideologia-de-genero/, acesso em 22/nov/2022.

seriam efetivamente salvas? Ninguém fez a conta porque não há nem nexo causal entre fazer a transição antes da adolescência e suicídio.

Os bloqueadores de puberdade dados a adolescentes são os mesmos utilizados em alguns países nas penas de castração química. A falta de desenvolvimento hormonal tem como consequências problemas futuros no desenvolvimento dos ossos e diversos órgãos.

Em 2020, uma adolescente britânica que fez reversão de sexo e se arrependeu, Keira Bell, resolveu entrar na Justiça para provar que não havia nada de ciência nos procedimentos. Era convencimento ideológico e sem acompanhamento.

No início, parecia meio fantasioso. A prestigiosa clínica Tavistock, conhecida por psicólogos do mundo todo, era a única que tinha a permissão do sistema público do Reino Unido para fazer essas cirurgias.

O julgamento da Suprema Corte do Reino Unido trouxe informações devastadoras. Os pacientes não tinham nenhum acompanhamento posterior, não havia evidência de qualquer melhoria na vida deles com a cirurgia e a clínica não sabia nem quantos pacientes haviam passado pelo procedimento.

Após o caso Keira Bell, as transições sexuais em adolescentes foram suspensas no Reino Unido. Outros países europeus começaram a seguir e, nos Estados Unidos, vários médicos começam a rever suas posições.

Traduzo partes da sentença da Suprema Corte sobre o caso. Os juízes demonstram total perplexidade com a falta absoluta de dados sobre uma política de saúde determinante na vida dos pacientes e falada como se fosse algo bom, acima de qualquer risco. Disse a Suprema Corte Britânica na sentença:

> O Documento de Avaliação do Estudo de Intervenção Precoce no GIDS, referido no parágrafo 25 acima, fornece algum material (embora limitado) sobre o resultado desse estudo. Resumiu um documento de reunião apresentado pelo Dr. Carmichael e Professor Viner em 2014 (mas não publicado em um jornal científico com *peer review*) da seguinte forma: 'Os dados qualitativos relatados sobre os resultados iniciais de 44 jovens que receberam supressão puberal precoce. Ele observou que 100% dos jovens afirmaram que desejavam continuar no

GnRHa, que 23 (52%) relataram uma melhora no humor desde o início do bloqueador, mas que 27% relataram uma diminuição do humor. Observou que não houve melhora geral em humor ou bem–estar psicológico usando medidas psicológicas padrão'. (grifo da corte)".

"O tribunal pediu estatísticas sobre o número ou proporção de jovens a quem a clínica prescreveu terapia com bloqueadores hormonais que têm diagnóstico de autismo. A Sra. Morris disse que tais dados não estavam disponíveis, embora estivessem em registros de pacientes individuais. Nós, portanto, não sabemos qual a proporção daqueles que a clínica considerou terem idade de consentimento para o tratamento tinham autismo ou qualquer outro diagnóstico de saúde mental. Mais uma vez, consideramos essa falta de análise de dados – e a aparente falta de investigação deste problema – surpreendente.

O genial Millôr Fernandes (1923–2012) dizia que "quando uma ideologia fica bem velhinha, ela vem morar no Brasil". No caso do identitarismo, é verdade. Estamos importando o que já está ficando velho e problemático nos Estados Unidos e Europa.

Vejo, por exemplo, discussões acaloradas sobre "linguagem inclusiva", o nome que se decidiu dar à linguagem elitista criando gênero neutro num país de analfabetos funcionais.

Eu não tenho nada contra jovens usarem gênero neutro como forma de provocação ou protesto. Como mãe, até gosto. Eu costumava fazer meus protestos em passeata, fugindo da polícia, saindo de casa escondido em época que não havia celular.

O trabalho que uma criatura dessas dá para os pais não é algo que eu queira ter. Quero sossego. Se vai tuitar amigues e se achar o próximo Che Guevara, estou felicíssima fazendo a unha sem ter de me preocupar. Gosto de conforto.

Aqui volto à questão da proporção. Imaginar que eliminar o gênero da linguagem seja solução de algo é pueril, típico da juventude, até fofo como protesto ou como mostrar que se importa. Mas tenho visto empresas, peças de publicidade e até universidades fazendo essa palhaçada.

O adulto precisa aprender que a época de ser jovem sonhador acaba com o tempo. Essa moda do adolescente de 40 anos é, em grande parte, o que sustenta o identitarismo na sociedade. A pessoa quer ser revolucionária, mas ela é quem tem agora a função de impor regras.

Se realmente adultos pensam que é necessário mudar a linguagem por razões sociais, façam como adultos, produzam um Novo Acordo Ortográfico da Língua Portuguesa.

Enquanto não fazem isso, escrevam em Língua Portuguesa e ponto. As provocações são para os jovens e artistas, não para os que ditam as regras e parâmetros da sociedade. Cada um assuma seu posto, a vida tem ônus e bônus.

Enquanto por aqui usar linguagem neutra é considerado algo que preste em empresas e universidades, o governo da França – que é praticamente o Centro Acadêmico da Europa – já acabou com a palhaçada.

No dia 5 de maio de 2021, o Ministério da Educação da França e a Academia Francesa enviaram um documento conjunto a todas as instituições de ensino do país proibindo o uso de gênero neutro e alertando para o dever do ensino correto da língua francesa[11].

A Academia Francesa é uma instituição secular que tem por missão zelar pelo idioma como um patrimônio cultural. É liderada atualmente por uma das maiores intelectuais do país.

O comunicado sobre linguagem neutra não deixa brechas para a frágil argumentação do identitarismo em torno do mito da opressão:

> Num momento em que a luta contra a discriminação sexista envolve combates relacionados em particular à violência doméstica, disparidades salariais e os fenômenos do assédio, a escrita inclusiva, se parece fazer parte deste movimento, não é apenas contraproducente para este movimento, mas prejudicial à prática e inteligibilidade da língua francesa.
>
> Uma linguagem procede de uma combinação secular de história e prática, que Lévi–Strauss e Dumézil definiram como

---

11. https://www.education.gouv.fr/bo/21/Hebdo18/MENB2114203C.htm, acesso em 22/nov/2022.

'um equilíbrio sutil nascido do uso'. Ao defender uma reforma imediata e abrangente da grafia, os promotores da escrita inclusiva violam os ritmos do desenvolvimento da linguagem de acordo com uma injunção brutal, arbitrária e descoordenada, que ignora a ecologia do verbo[12].

O ministro da Educação, Jean–Michel Blanquer, já havia alertado que o idioma francês não poderia ser instrumentalizado em nome de nenhuma ideologia, já que representa a unidade do país. Além disso, lembrou que a missão de inclusão vai muito além de perfumaria; diz o comunicado do Ministério da Educação:

> A igualdade entre meninas e meninos, prelúdio da igualdade entre mulheres e homens, deve ser construída, promovida e garantida pela Escola da República. Constituinte da igualdade real de oportunidades, é de fato inseparável da promessa republicana de emancipação de cada indivíduo. A ação da Escola nesta área insere–se num vasto plano que inclui a formação de todos os colaboradores, a transmissão de uma cultura de igualdade, o combate à violência de gênero e sexualidade e uma política de orientação a favor de mais diversidade nos setores e profissões. Também envolve a promoção e o uso da feminização de certos termos, em funções particulares, respeitando as regras gramaticais.
>
> Esses objetivos não devem ser penalizados pelo recurso à escrita dita "inclusiva", cuja complexidade e instabilidade constituem tantos obstáculos à aquisição da linguagem como da leitura. Essas armadilhas artificiais são tanto mais inoportunas quanto atrapalham os esforços dos alunos com deficiência mental admitidos no âmbito do serviço público da escola inclusiva.

Aqui no Brasil ainda conhecemos apenas a virulência, o autoritarismo, a superficialidade, os clichês e a cultura do cancelamento criados pelo identitarismo.

---

12. Hélène Carrère d›Encausse, secretária perpétua da Academia Francesa e Marc Lambron, atual diretor da Academia Francesa, 5 de maio de 2021.

Em diversos outros países já se conhece algo muito mais importante, o fracasso diante dos desafios do mundo real. É a partir do conhecimento desses fracassos retumbantes e de posturas altivas como a da Academia Francesa que podemos preservar a democracia e a liberdade de expressão.

Devolver na moeda inversa, negando a realidade e vendo malignidade na alma do seguidor da seita do identitarismo, só dá vitória à briga.

Se queremos um mundo com liberdade e democracia, o desafio não é vencer o jogo contra o identitarismo, é trocar o tabuleiro em que ele está sendo jogado.

b. Etimologia *freestyle*

Um dos mecanismos mais disseminados do identitarismo para controlar discursos e grupos é a Etimologia *freestyle*. A denominação é de autoria de Raphael Tsavkko Garcia, doutor em Direitos Humanos.

Essa técnica consiste em deliberadamente inventar uma origem maléfica para uma palavra de uso corrente, de forma que se possa apontar como racista, machista ou homofóbico quem diz algo como "criado-mudo".

Parece algo ridículo e fácil de desmentir. Mas você vai ler a lista a seguir e constatar que não é. Ela é de palavras cujas origens racistas foram inventadas e são repetidas hoje não só em treinamentos de empresas privadas, mas também em materiais de instituições públicas e até mesmo no material das escolas públicas do Brasil.

Para que serviria inventar que uma palavra tem origem racista? Definitivamente não é para combater o racismo. Mas os usos mercadológicos são múltiplos e muito efetivos, também é possível utilizar esse mecanismo em grupo para ganhar muito poder.

A maioria das pessoas vai embarcar naturalmente. Sabemos que nossa sociedade é racista porque essa é nossa herança. A ideia de igualdade entre as pessoas é nova. Muitas palavras têm origem racista e, quando alguém fala de mais uma, não há por que duvidar.

Ocorre que fazer deliberadamente uma lista inventada dá poder ao grupo que inventa. Em primeiro lugar, esse grupo consegue posar de mais intelectualizado que os demais, assumir um posto de liderança intelectual.

Apelando ao moralismo – quem usar tal palavra é automaticamente racista – consegue obediência não só nesse tema, mas também em outros. Como ninguém sabe direito o que fazer individualmente para combater o racismo, espalhar que essas palavras são racistas parece uma boa ideia. Além disso, o trabalho é quase zero. Ninguém precisa mudar muito sua rotina.

Esse material pode gerar uma série de palestras, discussões, treinamentos, campanhas publicitárias, *publiposts*. Cria e movimenta um mercado específico que não serve para absolutamente nada. Vende a ideia de que combater a origem fictícia de algumas palavras tornará a sociedade mais inclusiva.

Dizendo assim, parece que só imbecis embarcam na história. Ocorre que é um movimento concertado. No Dia da Consciência Negra de 2011, por exemplo, diversas iniciativas de mídia patrocinadas por redes sociais fizeram a famosa postagem das expressões racistas que você deve evitar.

Confesso que, na época, o que mais me chamou a atenção na lista é que ela era traduzida. Aliás, mal traduzida. Percebi pelo verbete *mulata*, que afirmava que mula é o filhote macho do cruzamento de cavalo com jumenta ou égua com jumento. Não é. O macho é o burro, a fêmea que é a mula.

Em inglês que se usa *"mule"* para os dois, diferenciando *male mule* de *female mule*. Comecei a pesquisar a tal lista, que colocou em maus lençóis uma única agência de checagem que a divulgou e foi obrigada a fazer diversas correções e retratações. No entanto, não foi a única nem recebeu a solidariedade de diversos veículos e instituições que publicaram a mesmíssima coisa.

Vamos à lista e suas correções:

MEIA–TIGELA: Os negros que trabalhavam à força nas minas de ouro nem sempre conseguiam alcançar suas "metas". Quando isso acontecia, recebiam como punição apenas metade da tigela de comida e ganhavam o apelido de "meia tigela", que hoje significa algo sem valor e medíocre.

A ideia de que existia o conceito de "bater meta" no Brasil Colônia já é inverossímil. Estamos falando de pessoas escravizadas e do arbítrio total, não de regras objetivas e metas precisas que deveriam ser cumpridas.

Obviamente ainda vivemos as chagas da escravidão e é legítimo falar de quem foi forçado a trabalhar em minas de ouro. Também é legítimo falar dos que lutaram contra essa situação e fizeram com que a realidade das minas brasileiras fosse bem mais complexa.

No século XVIII, 30% dos donos de minas de ouro em Minas Gerais eram negros e boa parte, mulheres negras.

Não há notícias de que fosse nesse ambiente a utilização do termo meia–tigela. A fonte mais confiável é a história da prescrição de porções do *Livro da Cozinha del Rei*, uma espécie de manual de alimentação das pessoas que trabalhavam no palácio real.

A comida variava de acordo com a importância dos serviços prestados, inclusive para funcionários livres. Havia os de tigela inteira e os de meia tigela.

> **MULATA:** Na língua espanhola, referia–se ao filhote macho do cruzamento de cavalo com jumenta ou de jumento com *égua*. A enorme carga pejorativa é ainda maior quando se diz "mulata tipo exportação", reiterando a visão do corpo da mulher negra como mercadoria. A palavra remete à ideia de sedução, sensualidade.

O filhote macho é o burro, a fêmea é a mula. A origem da palavra não é espanhola, vem do latim, *mulus*. Ocorre que não existe consenso sobre a origem dos termos mulata e mulato.

Pode ser uma analogia preconceituosa aos mestiços. Filhos de brancos e negros seriam analogias do cruzamento entre cavalos e jumentos.

Mas ocorre que também há a hipótese da origem árabe. *Muwallad* é a palavra que descreve o mestiço de árabe com não árabe. Pode parecer um tiro longínquo demais e uma tentativa de justificar o racismo da expressão.

Ocorre que não é a única palavra para descrever mestiços brasileiros. Os filhos de brancos com índios são chamados de mamelucos. Em árabe, a palavra que descreve os filhos de indígenas com não indígenas é *mamluk*. O fato é que não há consenso e provavelmente seja uma das duas alternativas.

> **"CRIADO–MUDO":** O nome do móvel que geralmente é colocado na cabeceira da cama vem de um dos papéis desempenhados pelos escravos dentro da casa dos senhores brancos, o de segurar as coisas para seus "donos". Como o empregado não poderia fazer barulho para atrapalhar os moradores, ele era considerado mudo. Logo, essa expressão se refere a esses criados.

O nome *dumbwaiter* (criado–mudo) foi registrado para um móvel pela primeira vez na Inglaterra em 1749, mas era algo já utilizado desde a era romana, um elevador de comida, como vemos em restaurantes. Em casas muito grandes, a equipe da cozinha preparava os pratos e os mandava pelo elevador. Na prática, a pessoa era servida por um criado, só que silencioso. Até hoje esse elevador chama-se *dumbwaiter*.

É algo que vem da aristocracia inglesa e não tem relação com divisão por raças, mas por classes. Os aristocratas preferiam que os empregados não escutassem suas conversas privadas, por isso investiram nesse tipo de movelaria.

Em outros idiomas, o conceito criado–mudo foi adaptado para outros móveis. Na Alemanha é *stummer diener*, cabideiro. Aqui no Brasil, o termo criado–mudo chega com os portugueses no final do século XIX para descrever duas coisas: bidê e velador. No final, o velador venceu e continua sendo o criado–mudo que conhecemos hoje.

De qualquer forma, é uma história que deu muito poder a quem a encampou na indústria do *design*, como me ensinou o *designer* mineiro Alessandro Alvarenga. É um dos ramos da economia em que a produção concreta do trabalho e a figura do *influencer* começam a se fundir.

Existe e sempre existirá uma demanda por móveis e *design* de qualidade. Mas também há um outro mercado fortemente calcado em marcas, uma espécie de "modinha". Ele gera nomes de *designers* que funcionam como marcas nas redes sociais e acabam povoando os diversos *reality shows* de decoração, sucesso sobretudo na TV a cabo.

A história do criado–mudo virou uma campanha da extinta marca de móveis Etna, que criou um problema onde não existia e chamou a atenção para seus produtos na Black Friday. Várias outras marcas de produtos pararam de usar a expressão criado–mudo e substituíram por mesa de cabeceira.

Essa história ganhou vulto no ano de 2019. Em 2020, ela já fazia parte do material escolar oficial do ensino fundamental da rede pública do estado de São Paulo. Cheguei a publicar um artigo sobre o tema. Diversos professores e alunos me escreveram indignados porque realmente haviam acreditado na história.

> **"DOMÉSTICA":** Domésticas eram as mulheres negras que trabalhavam dentro da casa das famílias brancas e eram consideradas domesticadas. Isso porque os negros eram vistos como animais e por isso precisavam ser domesticados através da tortura.

A palavra é muito mais antiga do que as grandes navegações ou a colonização do Brasil, vem de *domus*, que é o lar em latim. A palavra gerou *domesticus*, aquilo que é do lar.

Não existe registro histórico de que a palavra domesticar tenha esse significado. Quem trabalhava nas casas, em qualquer tipo de relação, inclusive de agregado, era empregado doméstico.

É essa a mesma raiz etimológica que nos dá expressões como voos domésticos e economia doméstica.

> **"MACUMBEIRO – GALINHA DE MACUMBA – CHUTA QUE É MACUMBA":** Expressão que discrimina as(os) praticantes de religiões de matriz africana.

Discriminar os praticantes de uma religião é natural. Discriminar é um verbo transitivo direto que significa: perceber diferenças, distinguir, discernir, classificar, especificar. Dizer que eu sou cristã e o irmão é muçulmano seria o ato de nos discriminar como praticantes da religião. A postagem completa sugere que não se faça isso com os praticantes de religião de matriz africana, o que seria um preconceito gigantesco, se bobear, até infração penal.

Ninguém sabe direito a origem da palavra macumba, a mais provável é o Quimbundo, idioma nativo angolano para referir–se a um instrumento musical. Aqui, referia–se ao tambor utilizado nas cerimônias de religiões de matriz africana. Depois, a palavra macumba passou a ser usada para descrever todas essas religiões e suas oferendas, os despachos com comidas. Ela é muitíssimo usada de forma pejorativa, para falar mal ou estigmatizar os praticantes da religião.

No entanto, quando se fala "galinha de macumba" ou "chuta que é macumba", fala-se da oferenda em si, não do praticante. De qualquer forma, devemos lembrar que é algo sagrado para essas pessoas.

> **"FEITO NAS COXAS":** A origem da expressão popular "feito nas coxas" deu-se na época da escravidão brasileira, onde as telhas eram feitas de argila, moldadas nas coxas de escravos.

Essa ideia de fazer telha nas coxas de pessoas escravizadas não é algo de que se tenha notícia na época da escravidão. E isso não é por lampejos de humanidade, mas por economia e praticidade.

Telhas demoram dias para secar e precisam ficar absolutamente estáveis para que sejam funcionais. Seria ineficiente utilizar pessoas, que acabariam se mexendo. Além disso, a escravização de pessoas era uma operação ultramarina caríssima. Essas pessoas eram forçadas a fazer trabalhos que trouxessem muito mais lucro do que uma telha que demora dias para ficar pronta.

Além disso, tem a questão do tamanho da telha. Ele precisa ser padronizado, o que seria impossível usando pessoas diferentes. Além disso, as telhas coloniais têm, em média, 70 cm de comprimento. Seria necessário um ser humano de 4 metros de altura para produzir uma telha desse tamanho.

Por outro lado, suportes de madeira resolvem todas essas questões de forma muito mais fácil e muito mais econômica.

E de onde teria vindo essa expressão, afinal? Saber mesmo ninguém sabe, mas se desconfia.

A primeira versão é a preferida de todo mundo, a de cunho sexual. Seria a relação sexual interfemoral, entre as coxas, algo famoso na literatura desde a Grécia antiga. Deve ser prática humana há muito mais tempo.

Também há a hipótese de que seja um trabalho improvisado, como um escrito feito sobre as pernas em vez de apoiar-se na mesa, onde ficaria mais caprichado.

"INHACA": Desde o português do Brasil Colônia, vem sendo usada para referir–se ao mau cheiro, forte odor, no entanto Inhaca é uma Ilha de Maputo, em Moçambique, onde vivem até hoje os povos Nhacas, um povo Ban.

Inhaca era uma península ligada a Maputo que naturalmente desligou–se do continente e virou uma ilha. Jamais chegou a ser completamente colonizada e até hoje é administrada pela elite local, os Nhaca.

Pergunte a um moçambicano o que é "inhaca" e ele vai dizer que é a ilha, porque não existe essa palavra com o sentido que usamos aqui, ela vem do tupi.

Aca é fedido. Daí vêm inhaca, sovaco e cavaco (buraco fedido). Não tinha índio tupi em Moçambique, o nome daquela população nativa é coincidência.

c. Antirracismo de Taubaté é nocivo

Quem foi enganado pela Etimologia *Freestyle* a identifica como nociva. Ninguém gosta de ser enganado, principalmente de sentir que seus melhores sentimentos foram manipulados. As pessoas não caem numa conversa dessas tentando tirar vantagem ou se dar bem, muito pelo contrário. Os que acreditam nisso tentam melhorar como pessoas e melhorar a sociedade.

É um sentimento de traição bem desagradável tentar fazer algo de bom, buscar mais conhecimento sobre um tema, mudar para ser alguém melhor e depois saber que aquilo tudo era algum tipo de invenção de um grupo.

Mas nem é esse grupo o mais prejudicado, é justamente aquele que todas as pessoas – as bem–intencionadas e as nem tanto – dizem querer defender.

A exposição à literatura "antirracista", aquela que alega lutar contra o racismo, mas faz apenas ações mercadológicas e simbólicas, diminui em 15% a sensação de pessoas negras sobre conseguir controlar sua própria vida.

É o que aponta o estudo "The Social Construction of Racism in the United States" (A construção social do racismo nos Estados Unidos), publicado em abril de 2021 pelo cientista político Erik Kaufmann para o Manhattan Institute, *think tank* progressista[13]. Diz o estudo:

> Nada disso significa que o racismo seja um problema imaginário. No entanto, os esforços para reduzi–lo devem ser baseados em fortes evidências empíricas e medidas livres de viés. Os riscos de ignorar o racismo são claros: a injustiça pode persistir e crescer. No entanto, também há perigos claros em exagerar sua presença. Isso vai muito além do ressentimento e da polarização da maioria. Uma narrativa gerada pela mídia sobre o racismo sistêmico distorce a percepção das pessoas sobre a realidade e pode até prejudicar o senso de controle dos afro–americanos sobre suas vidas.

Pode parecer que o identitarismo bombardeia as pessoas em todas as áreas mais frívolas do cotidiano, então, de certa forma, mesmo com erros, seria capaz de conscientizar sobre a gravidade de vários tipos de preconceito.

O problema é que ele fica tão distante da realidade, aliena tanto as pessoas e propõe soluções tão simplistas que pode ter como efeito colateral diminuir a percepção de problemas graves como o racismo.

O estudo mostra que a conscientização sobre racismo entre progressistas tem subido entre os brancos, mas não entre os negros. Os negros que mais julgam o racismo como problema grave são, surpreendentemente, os conservadores norte–americanos.

Segundo Erik Kaufmann, "John McWhorter regularmente aponta que o trabalho de autores de Teorias Raciais Críticas como Ibram X. Kendi, Ta–Nehisi Coates e Robin DiAngelo tende a dotar os brancos com o poder de mudar a si mesmos enquanto retrata os negros como sujeitos passivos cujo destino depende da boa vontade de pessoas brancas". Ele apresentou passagens de um dos autores a pessoas negras. A autoconfiança delas caiu 15% na fase seguinte do estudo.

---

13. https://media4.manhattan-institute.org/sites/default/files/social-construction-racis-m-united-states-EK.pdf, acesso em 23/nov/2022.

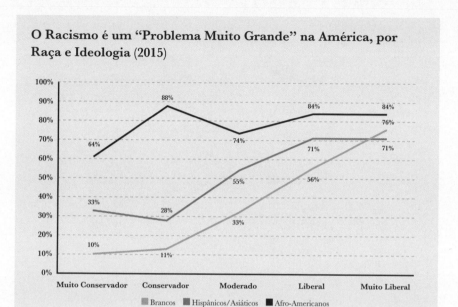

Fonte: Compilado pelo autor a partir do conjunto de dados do Pew Research Center, pesquisa política de julho de 2015; entrevistados: 1.349 Brancos, 210 Afro-Americanos, 373 Hispânicos e Asiáticos

Há aqui um paradoxo. Se a literatura antirracista é feita para combater o racismo, o efeito dela deveria ser fortalecer o espírito das pessoas negras. Não é o que se vê. Ela tem sido muito eficiente para o alívio da culpa das pessoas brancas.

As pessoas negras conservadoras que, em tese, fazem parte de um grupo político que minimiza diferenças raciais, estão muito mais atentas ao racismo do que aquelas que embarcam nas teorias progressistas.

Não há como mudar a realidade ignorando a realidade. Pintar com tintas fortes um problema ou criar "*safe spaces*" não vai fazer com que ele desapareça, vai apenas criar um desequilíbrio que perpetua injustiças. A realidade é nosso único refúgio.

CAPÍTULO 10

A ERA DE OURO DO ZEN-FASCISMO

Quem me apresentou à expressão Zen–Fascismo foi o Claudio Manoel, que prefacia este livro. Numa live que fazemos juntos, também com Thiago de Souza e Joselito Müller, contava suas peripécias na Copa de 1994.

Ele e Nelson Motta tiveram acesso, lá nos Estados Unidos, a um manual de como abordar mulheres em campi universitários. A intenção era ser respeitoso, entender que mulheres são minorias oprimidas há séculos e não repetir agressões. A forma final, no entanto, era constrangedora, fruto de uma mente bem tarada.

Nelson Motta matou a charada na hora, era o Zen–Fascismo. A expressão foi cunhada pela banda Dead Kennedys na música visionária California Über Alles, de 1979. Antes que algum iluminado imagine que a banda era de direita, eram músicos lendários, da época em que artista de país democrático não se pendurava nas partes íntimas de político. Metiam o pau em todos, sem dó.

É imperioso ler a letra toda. A arte é realmente fascinante na sua capacidade de fazer entender a alma humana. E você vai acabar concluindo, como eu, que está diante de mais do que uma música: é uma profecia.

California Über Alles

I am Governor Jerry Brown
My aura smiles and never frowns
Soon I will be president…

Carter power will soon go 'way
I will be Führer one day
I will command all of you
Your kids will meditate in school
Your kids will meditate in school

California Über Alles
California Über Alles
Über Alles California
Über Alles California

Zen fascists will control you
Hundred percent natural
You will jog for the master race
And always wear the happy face

Close your eyes, can't happen here
Big Bro' on white horse is near
The hippies won't come back, you say
Mellow out or you will pay
Mellow out or you will pay

California Über Alles
California Über Alles
Über Alles California
Über Alles California

Now it is 1984
Knock–knock at your front door
It's the suede denim secret police
They have come for your uncool niece

Come quietly to the camp
You'd look nice as a drawstring lamp
Don't you worry, it's only a shower
For your clothes, here's a pretty flower

Die on organic poison gas
Serpent's egg's already hatched
You will croak, you little clown
When you mess with President Brown
When you mess with President Brown

California Über Alles
California Über Alles
Über Alles California
Über Alles California

California Über Alles
(cópia de Deutschland Über Alles, slogan de Hitler)

Eu sou o governador Jerry Brown
Minha alma sorri e nunca franze a testa
Logo serei presidente...

O poder de Carter acabará logo
Um dia eu serei o Führer
Eu vou mandar em todos vocês
Seus filhos vão meditar na escola
Seus filhos vão meditar na escola

California Über Alles
California Über Alles
Über Alles California
Über Alles California

Zen fascistas vão controlar você
Cem por cento natural
Você correrá pela raça superior
E sempre usará sua cara feliz

Feche os olhos, não pode acontecer aqui
O Big Brother no cavalo branco está checando
Os hippies não voltarão, você diz
Fique feliz ou vai pagar
Fique feliz ou vai pagar

California Über Alles
California Über Alles
Über Alles California
Über Alles California

Agora é 1984
Toc–toc na porta da sua casa
É a polícia secreta de jeans e camurça
Eles vieram pela sua sobrinha que não é legal

Venha em silêncio para o campo
Você vai ficar bem como um abajur de corda
Não se preocupe, é só um chuveiro
Para suas roupas, aqui uma flor bonita

Morra no gás venenoso orgânico
O ovo da serpente já eclodiu
Você vai coaxar, seu pequeno palhaço
Se você mexer com o Presidente Brown
Se você mexer com o Presidente Brown

California Über Alles
California Über Alles
Über Alles California
Über Alles California

Para entender por que estamos diante de uma profecia, primeiro é preciso saber quem são os personagens citados. Carter é Jimmy Carter, ex–presidente dos Estados Unidos e filantropo de 98 anos de idade.

Jerry Brown era, na época da música, governador da Califórnia e um precursor do Zen Fascismo, esse movimento do autoritarismo agressivo em nome do bom–mocismo. Defendia principalmente as causas ambientais e todo o pacote zen que brotava na Califórnia da época.

Ele tentava obter a nomeação do partido democrata para a presidência da República, mas isso nunca aconteceu. O partido sempre escolheu Jimmy Carter.

Jerry Brown é um político querido pelo público raiz desse movimento alternativo que surge com muita força na Califórnia e se espalha pelo mundo reinventando a história, espalhando pseudociência e moralismo de quinta categoria.

Tudo o que é feito pelo ocidente seria errado e opressor, é preciso buscar uma reconexão com a natureza e com valores ancestrais. É um movimento que fala isso mas não quer sair do ar-condicionado, afinal a Califórnia é bem quente e rica também.

Mais ou menos como os "hippies de boutique", que diziam fazer parte do movimento enquanto moravam no Leblon, foi necessário criar produtos que dessem a impressão de uma conexão real sem abrir mão do conforto que só o capitalismo proporciona.

No caso dos hippies de boutique, a gente sabe bem como se faz: você se fantasia de hippie. A versão mais atual disso é o rico que se fantasia com boné do MST e sai por aí fingindo que defende justiça social porque comprou um arroz orgânico.

Esse movimento na Califórnia, no entanto, foi bem mais profundo. Não foram criados apenas produtos, mas filosofias de vida fundadas no revisionismo histórico que alteraram a visão de mundo das gerações futuras.

O melhor exemplo disso, na minha opinião é a Medicina Tradicional Chinesa. Provavelmente você já ouviu falar e não sei qual a sua opinião sobre isso. Hoje faz parte de cursos de medicina respeitados aqui no Brasil.

Provavelmente você pensa que acupuntura, pontos de energia e ervas são técnicas milenares usadas na China. Não são. Essa história foi inventada na Califórnia na década de 1970.

É uma história interessante que tento resumir ao máximo. A revolução maoísta levou a uma crise de saúde pública e não havia nem médicos nem medicamentos suficientes no país. O governo decidiu treinar paramédicos, que ficaram conhecidos como "barefoot doctors".

Eram pessoas que precisavam ter ensino médio e recebiam treinamento oficial de alguns meses. Depois, eram mandadas de volta principalmente às regiões rurais para atender as pessoas como fosse possível. Foi feito um manual para essas pessoas, com tudo o que você possa imaginar, desde o mais básico de higiene, passando por diagnósticos, remédios e possíveis gambiarras – falta de remédios era um grande problema nacional.

Esse manual ficou conhecido como "A Barefoot Doctor's Manual" e você acha facilmente na internet hoje. Ele foi produzido pela ditadura maoísta, portando demolindo tudo o que foi construído culturalmente pela civilização chinesa, que era negada pelo movimento. Era uma nova visão de mundo do país.

Alguém resolveu traduzir nos Estados Unidos. Claro que, na terra do capitalismo, tudo vira negócio. A Medicina Tradicional Chinesa teve sua história devidamente romantizada e as pessoas passaram a acreditar que estão diante de uma sabedoria milenar, não de algo da década de 1970.

Muito desse tipo de "conhecimento" começou a ser produzido dentro da lógica do movimento New Age que foi fortíssimo na Califórnia. E o progresso financeiro fez com que isso se fortalecesse cada vez mais. A prosperidade econômica da região é um indicador do poder que foi conseguido por esse caminho.

Se você chegou até aqui, já sabe que a década de 2010, com a ampla popularização das redes sociais – também sediadas na Califórnia – é um marco. A partir daí os movimentos de militância simbólica e desumanização em nome do bem começam a ter muito mais facilidade para prosperar e possibilidades de remuneração financeira.

Adivinha quem foi eleito governador da Califórnia de 2011 a 2019? Sim, justamente ele! O Jerry Brown da música. É justamente o período em que, a partir do Vale do Silício, toda uma mentalidade autoritária calcada num discurso de bom mocismo se espalha para todo o mundo e leva lucros bilionários ao Estado.

Nunca a Califórnia foi tão importante na economia mundial quanto no segundo período do homenageado pelos Dead Kennedys. E, como eles profetizaram na música, o autoritarismo do bem se instalou. Não sabíamos que seria de maneira globalizada.

O Zen Fascismo é o que defende a eliminação de todos aqueles que não se enquadrem no que eles consideram moralmente superior. Já temos até entre candidatos a governador de esquerda os que defendem abertamente a eliminação física e o espancamento de liberais como regra.

Com as redes sociais, no entanto, há um passo anterior, a desumanização. Do bem, claro. Olavo de Carvalho costumava ensinar que não se discute com inimigo político porque você não o respeita como ser humano. A ordem era partir para a ridicularização e xingamentos. Se necessário, violência física. Quem faz isso seguindo Olavo é mau, mas se você fizer isso pela democracia ou contra a opressão, será absolvido pelos zen fascistas.

Como vimos no capítulo do manual escrito por Andrew Anglin, a desumanização consiste em preparar o grupo para rir da morte de alguém eleito como inimigo.

Os rituais e liturgias são muito poderosos para moldar a alma humana. E nós podemos ver algumas atitudes que se repetem e levam à desumanização. A primeira coisa é negar a individualidade, o direito ao nome ou à biografia.

Uma técnica muito frequente é criar apelidinhos pejorativos, preferencialmente com conotação escatológica, sexual ou de diminuição intelectual. Também podem ser criados apelidos que estigmatizem a pessoa de forma a torná-la um objeto ridículo, não um indivíduo.

O direito à biografia é surrupiado com medidas fáceis que geram muito engajamento. Pouco importará o que a pessoa realmente fez, suas conquistas, quem ajudou. Aliás, ela deixará de ser uma pessoa. Você compartilha uma foto dela que "comprove" algo. Por exemplo, se tirou foto ao lado de alguém é satanista, fascista, pedófilo, etc. Funciona muito bem porque as pessoas também mandarão as fotos em grupos privados.

Também é possível tirar um print de alguma postagem da pessoa e colocar uma explicação capciosa que leve os demais a entenderem que ela é absolutamente perversa e não deve ser tratada como ser humano.

Quando isso começa a circular nos grupos zen fascistas, aquela pessoa deixa de existir para a humanidade. Ela é uma mistura de monstro com dejeto, algo que precisa ser ridicularizado, execrado e expulso da sociedade.

Qualquer história execrável que se inventar sobre a pessoa será altamente crível e compartilhada por toda a lacrosfera a partir do momento em que a desumanização se instalar. Ninguém defenderá a pessoa contra a multidão para não ser trucidado junto. Quem não atacar junto será visto como defensor. Mas será tudo pelo bem, tudo devido à defesa das grandes virtudes e feito com superioridade moral.

Há um fenômeno bastante curioso que você vai observar. Se a pessoa atacada reclama, por exemplo, de uma ameaça de morte ou imputação falsa de crime, é mimimi. Deveria saber aguentar uma crítica. Pessoas públicas podem ser criticadas. A reação dela, mesmo que seja uma tentativa de defesa, será relatada como violenta por quem a agrediu.

Diariamente queridos lutadores de teclado pela justiça social me chamam por apelidos carinhosos como cadelinha, vagabunda, madame, puta, vaca e mandam que eu vá me foder, tomar no cu e coisas do gênero. Eu costumo comentar sobre eles: "vejam que gentil". Os seguidores geralmente falam que foi mal educado, deveria tratar mulher melhor e coisas do gênero. Eles relatam isso como uma grande violência, dizem que foram agredidos pelos meus seguidores. Não conseguem nunca mostrar uma única agressão.

Eu achava que era cara–de–pau até finalmente compreender que eu não sou um ser humano aos olhos dessas pessoas. Eu sou um objeto que elas usam para agredir ou ridicularizar e receber do grupo zen fascista o retorno de reconhecimento moral ou intelectual que desejam obter.

Não há a menor chance de eu ser considerada como ser humano, respeitada ou ouvida. Eu não sou um ser humano, por isso toda e qualquer agressão contra mim é não só permitida como comemorada e recompensada. Quem faz isso se vê como ser humano, portanto se sente no direito de reclamar quando é admoestado em público.

Ocorre que o grupo também entende assim. Um dia em que relatei no Twitter a ocasião em que meu filho, então com sete anos, sofreu ameaças de morte por radicais de direita, uma postagem me surpreendeu enormemente.

O advogado Christiano Maronna, do grupo Prerrô, prestigiado no meio jurídico e intransigente defensor dos direitos humanos e fundamentais me responde com uma pergunta: "vidas negras importam?".

Como eu já havia tido interações profissionais diversas vezes com ele antes, inclusive num projeto no YouTube de um amigo querido em comum, imaginei que ele tivesse digitado errado ou qualquer coisa do gênero.

Perguntei se ele estava bem. Ele respondeu que estava sim e começou a me desafiar a dizer se vidas negras importam, como se inferisse que para mim não importassem. Eu realmente não entendi aquilo como resposta a um relato de ameaça de morte ao meu filho vindo de um defensor histórico dos direitos humanos.

Mas o poder da desumanização é esse. De tanta difamação, distorção e compartilhamento de fotos e prints em grupos, de repente eu não sou mais a profissional e mãe que ele conhece pessoalmente há anos, que o entrevistou inúmeras vezes e participou de eventos conjuntos. Não sou mais nem um ser humano que mereça atenção ou compaixão quando um filho é ameaçado.

Eu era aquele avatar que serve apenas para você reforçar ao seu próprio grupo suas qualidades morais e intelectuais. E como você faz isso? Por contraste. Ao atacar aquele avatar que circula nos grupos como se fosse uma mescla de piada e verme, ele demonstra sua superioridade moral e aderência aos valores do grupo.

Como se trata de um homem correto, o advogado se desculpou na mesma rede social. Estamos falando aqui de alguém que se dedica à defesa dos direitos humanos e da dignidade. Avaliem como os mecanismos do zen fascismo são poderosos para influenciar o comportamento de quem nem pensa nisso.

O zen fascismo não é uma ideologia à qual alguém adere. Ele faz muita gente acabar se comportando na prática em direção oposta aos valores que lhe são mais caros. Algo muito comum, por exemplo, é ver gente que luta contra preconceito racial acusar judeus de serem o pacto da branquitude.

Existe algo muito poderoso de que já falamos aqui, a conformidade social. Nossas ações não são apenas fruto de convencimento, mas de imitação. Todas as vezes em que o radicalismo e a violência ganham protagonismo numa sociedade, eles serão mimetizados.

Vivemos na polarização e tendemos a pensar que o grupo vai copiar as atitudes de seus líderes ideológicos. Não é assim. Copiamos aquilo que está dando sucesso às pessoas, mesmo sem perceber. Os mais centrados percebem quando contrariam seus próprios princípios e corrigem o rumo.

Muita gente me perguntou se eu não tenho medo do cancelamento por escrever um livro como este, praticamente maldito na era de ouro do zen fascismo. Medo não é a questão. Eu não tenho esperança de ter o menor tipo de consideração humana pelos lacradores, isso não existe. Eu não sou um ser humano para esse grupo, sou um objeto, portanto tanto faz meu medo.

Eu também fui atacada por radicais que se dizem conservadores ou de direita. E eles também não têm nenhuma consideração humana por mim, ridicularizam, diminuem intelectualmente, inventam as histórias mais absurdas. Precisei inclusive recorrer ao Judiciário diante dos mais insistentes.

Há uma diferença fundamental no fascismo tradicional da extrema-direita e no zen fascismo: a aceitação social e o beneplácito do mainstream. Não há como fazer a mesma coisa e ter dois resultados diferentes. Aparentemente, criamos um clima social em que se espera do zen fascismo um resultado diferente do que já sabemos que ele proporciona.

CAPÍTULO 11

POR ONDE É A SAÍDA?

Não temo dizer que a maioria é contrária aos arroubos autoritários do identitarismo, mas o movimento é dificílimo de contrapor. Conta com uma estrutura econômica sólida, muita voz ativa nos meios de comunicação, nas redes sociais e na publicidade.

Por outro lado, estamos em um momento político de esgarçamento social em diversas sociedades, fomentado pela novidade das redes sociais como intermediadoras de todo tipo de relacionamento entre as pessoas.

Diante de situações assim, muitos se desesperam. Pensam que não têm mais o controle sobre o próprio destino. É a forma mais fácil de aceitar o arbítrio ou ideias parecidas com isso.

Já ouvi pessoas bem–intencionadas dizendo que é necessário calar a seita do identitarismo para que a sociedade possa prosseguir seu destino. É um dos maiores erros que cometemos.

Não é possível derrotar uma força organizada utilizando os métodos em que essa força é craque. Autoritarismo ou tentativa de calar as pessoas vão apenas piorar a situação da sociedade, não serão capazes de construir um projeto de futuro.

Aqui não falo de moralismo nem de ética. Poderia, mas não é esse o tema. Falo de eficiência.

É legítimo avaliar que não é moral nem ético agir com a mesma truculência autoritária do identitarismo para fazer o embate. Realmente não é. Para além disso, não é eficiente.

Volto aqui à ideia do *schadenfreude*, a sensação de deleite que sentimos quando alguém de quem não gostamos se dá mal. Ver identitaristas cancelados ou perdendo suas conquistas profissionais pode dar prazer a muita gente, principalmente às vítimas deles. É inútil, no entanto, para mudar o estado de coisas.

Uma reação comum é a negação a toda a pauta identitária. As pessoas passam a acreditar que todas as denúncias de racismo, machismo, homofobia e transfobia são exageradas ou forjadas.

São de muito sucesso os cursos – que não levam em conta a realidade – para livrar as filhas do feminismo, lutar contra o antirracismo ou enfrentar movimentos contra a homofobia. É uma lógica de que tudo vale para calar a instrumentalização da militância e os danos que isso causa à sociedade.

É um alívio momentâneo para os que se sentem presos por essa guerra cultural. No médio e longo prazos, no entanto, não se trata de algo que vá melhorar o estado de coisas e pode até piorar.

Agir fora da realidade não melhora a nossa convivência nem a nossa sociedade, não nos dá a possibilidade de resolver problemas nem de pensar em construir um futuro melhor.

Os grandes ícones do identitarismo, sobretudo os que ganham muito espaço na política, na imprensa e na publicidade, acabam irritando a maioria das pessoas. Existe um sentimento generalizado de vingança contra eles.

Ocorre que esse movimento não é feito apenas das grandes corporações e dos que ganham com isso. A maior parte das pessoas que aderem a essa dinâmica é bem–intencionada. Muitos jovens, já nascidos na dinâmica da hipercomunicação e da hiperexposição, estão sedentos por causas e propósitos.

O identitarismo tem sido capaz de fornecer essas causas e formas confortáveis de militância a quem não encontra na nossa dinâmica social significado para a própria vida.

É nesse nó que está a solução, em dar significado e missão às pessoas, sobretudo aos jovens.

Existe uma tentação de aplicar aos adeptos do identitarismo a mesma lógica do cancelamento que eles aplicam a todas as pessoas. Caso fossem cancelados, deixariam de ter a mesma influência sobre as pessoas.

Se isso for aplicado, inevitavelmente teríamos outra casta de autoritários com outra ideologia maluca substituindo essa. E ela teria igualmente suas justificativas morais, seus cancelados, seus excessos e suas estrelas.

A decisão não é sobre qual ideologia suplantará a outra calando à força os demais, mas se vamos permitir que essa seja a lógica que vai comandar a nossa sociedade.

Nunca foi tão necessário voltar aos nossos princípios e propósitos, entender de ser humano, acreditar em misericórdia e redenção. Pessoas buscam grupos de apoio e, na nossa sociedade, estão encontrando acolhimento naqueles mais sectários.

Dobrar a aposta no sectarismo vai produzir cada vez mais grupos sectários. Contrapor discursos autoritários com seu extremo oposto vai fazer que cada vez mais tenhamos grupos autoritários dominando a sociedade e conquistando jovens.

É perfeitamente humano ansiar pelo prazer de ver alguém provar do próprio veneno. Ocorre que, diante de um esgarçamento do tecido social, do veneno provamos todos.

Ou começamos a pensar no Brasil que queremos e no ideal de sociedade que desejamos ou ficamos presos em distribuição de culpas e da vingança merecida a cada um dos autoritários.

Não há como ganhar o jogo no mesmo tabuleiro, é preciso virar o tabuleiro. Só há vitória se pararmos de importar não apenas soluções mas também problemas, se nos reconhecermos como o Brasil que somos.

É preciso encarar a nossa história real com suas belezas e mazelas, encarar o fato de que somos os herdeiros de oprimidos e opressores tentando construir um futuro melhor para os nossos filhos. Podemos entregar a eles a sina de purgar nossos erros ou a possibilidade de um país.

A última encíclica do Papa Francisco, *Fratelli Tutti*, começa com uma história de algo quase impossível. Há 800 anos, em plena era das Cruzadas, São Francisco decidiu ir visitar o Sultão Malik–al–Kamil, no Egito.

A ideia era da aproximação de pessoas, sem que São Francisco tivesse a mais remota ideia de abrir mão das próprias convicções religiosas e de vida. Foi até os "infiéis" sabendo quem era, quais seus valores e o que defende, sem voltar um milímetro em suas convicções.

Não foi, no entanto, tentar enfiar suas crenças e seu Deus goela abaixo do Sultão. Foi apenas criar pontes. Seguiu os princípios bíblicos de não fazer contendas onde não era necessário, o que pode parecer loucura diante da seriedade da situação.

Cada ser humano é único. Se você já tentou mudar alguém ou ajudar alguém, sabe que não é possível. Não mudamos quem não quer ser mudado nem ajudamos quem não quer ser ajudado. É impossível fazer que as pessoas se tornem a imagem e semelhança do que queremos, elas serão mais do que são.

São Francisco seguiu o princípio cristão da submissão, que é muito diferente da ideia que temos para essa palavra hoje em dia. É algo mais parecido com estar *"sottomissione"*, em italiano, sob uma missão.

O mundo tem uma ordem, uma hierarquia natural, não a dos homens, a da natureza. Para os que têm fé, como eu, tem uma natureza divina. Cada um de nós tem o seu lugar. Reconhecer o nosso lugar nessa imensa roda que gira o mundo é fundamental não apenas para a nossa humildade, mas também para aliviar a ideia de carregar todo o mundo nas costas. Não carregamos, fazemos o que podemos no nosso papel.

Na era das redes sociais, nossa exposição e essa sensação de urgência dão a ideia de que é necessário ter um posicionamento sobre tudo. Se não nos posicionamos, podemos ser cúmplices da falência de algo importante para a sociedade. Somos consumidos pela ilusão de que essa busca incessante pela imagem é o que modifica a sociedade.

De certa forma, modifica mesmo. Torna a sociedade vaidosa e inteiramente voltada para o próprio umbigo. Infelizmente, é energia malgasta para tornar a sociedade mais justa.

Se todo esforço é no individual e na imagem individual, os benefícios não serão coletivos.

Só há benefícios coletivos quando reconhecemos a humanidade de todos, a universalidade da dignidade humana e a necessidade de convivência pacífica, cientes das diferenças e fiéis aos nossos princípios.

Séculos depois das Cruzadas, muito pouco sobrou da presença cristã no mundo árabe. Aliás, o continente africano praticamente inteiro se tornou muçulmano. No Egito, pouquíssimo sobrou da presença cristã.

Em 2019, foram comemorados os 800 anos da presença franciscana no mesmo lugar onde ocorreu o encontro de São Francisco com o Sultão. Na região de Ras–el–Bar, na cidade de Damietta, governantes e religiosos egípcios se reuniram numa cerimônia com celebridades religiosas do mundo todo. Eles uniram crianças cristãs e muçulmanas nas celebrações.

"Muitas vezes confunde-se o diálogo com algo muito diferente: uma troca febril de opiniões nas redes sociais, muitas vezes pilotada por uma informação mediática nem sempre fiável. Não passam de monólogos que avançam em paralelo, talvez impondo-se à atenção dos outros pelo seu tom alto e agressivo. Mas os monólogos não empenham a ninguém, a ponto de os seus conteúdos aparecerem, não raro, oportunistas e contraditórios", diz a encíclica do papa Francisco.

Existe um movimento muito importante a ser feito na questão do controle de poder do identitarismo. Os meios de comunicação precisam parar de dar voz de maneira desproporcional a quem está preocupado com turbante e gênero neutro e começar a ouvir pessoas que realmente sofrem preconceitos na nossa sociedade.

Quanto a cada um de nós, há momentos em que o diálogo é impossível. Mas isso não quer dizer que aquele ser humano seja impossível. Pessoas mudam e não cabe a um dar conta do destino do outro. O destino de cada um de nós já é trabalho suficiente.

O importante é não perder o foco de onde ele deve estar. Aquilo que nós merecemos e que nosso país merece é sempre muito mais importante do que a vingança que julgamos ser merecida por adversários. É um exercício de disciplina.

Termino com uma frase de uma personalidade que admiro demais pela forma como conduziu sua vida e pela grandeza de fazer tantas pedras do destino se transformarem em joias para pessoas que precisavam, o tenista norte-americano Arthur Ashe (1943–1993): *"Start where you are, use what you have, do what you can"*. Comece onde você está, use o que você tem, faça o que você pode. Se você chegou até aqui, já se movimentou. Somos muitos, somos um movimento que ainda parece silencioso. A julgar por outros países, tende a crescer.

POSFÁCIO

AS MUITAS FACES DO IDENTITARISMO

Aldo Rebelo[14]

O identitarismo se apresenta ao mundo como uma ideia generosa e a última flor da estufa do humanismo promotor dos direitos sociais e da igualdade entre os seres humanos. Dedica-se particularmente à luta pelos direitos das mulheres, à denúncia do racismo e pela livre identidade e orientação sexual. Esta é, por assim dizer, a fantasia do identitarismo, que esconde a sua verdadeira natureza autoritária e intolerante, disposta a lançar mão de práticas desonestas e até criminosas para intimidar adversários reais ou imaginários, como está demonstrado ao longo do livro de Madaleine Lacsko.

O identitarismo foi concebido nas entranhas do império como uma forma de separar jovens, mulheres e negros que lutavam por interesses comuns e passaram a cuidar de agendas próprias centradas na identidade cronológica ou biológica de cada grupo.

---

14. Conselheiro do Centro Brasileiro de Relações Internacionais (CEBRI). José Aldo Rebelo é um político brasileiro com extensa experiência na vida pública. Foi Ministro de Estado da Defesa (2015-2016), Ministro de Estado da Ciência, Tecnologia e Inovação (2015), Ministro de Estado do Esporte (2011-2014), Relator do Código Florestal (2009-2010), Presidente da Câmara dos Deputados (2005-2007), Ministro-chefe da Secretaria de Coordenação Política e Relações Institucionais (2004-2005), Líder do governo Lula na Câmara dos Deputados (2003), Presidente da Comissão de Relações Exteriores e de Defesa Nacional (2001-2002), Presidente da CPI CBF/Nike (1999) e Deputado Federal pelo estado de São Paulo (1991-2014). Aldo foi Presidente da União Nacional dos Estudantes (UNE) (1980-1981).

Resumo biográfico retirado do site do Centro Brasileiro de Relações Internacionais, ver: https://www.cebri.org/br/especialista/35/jose-aldo-rebelo. (N. E.)

Do império o identitarismo foi transplantado para a periferia como um cavalo de Troia a dividir, fragmentar e desorientar as lutas nacionais dos povos dominados. Apoiados por recursos de fundações e organizações não governamentais dos Estados Unidos ou sob sua influência, proliferaram pelo mundo afora ONGs e todo tipo de grupo atrelado à agenda do império de substituir a ideologia pela biologia na organização das lutas sociais.

No Brasil o identitarismo é hoje abraçado pelas grandes corporações empresariais, notadamente as do capital financeiro; infiltrou-se nas universidades e exerce um domínio quase absoluto nas disciplinas de ciências humanas; tomou de assalto estruturas de Estado como o Judiciário e o Ministério Público e é norma obrigatória no conteúdo dos principais meios de comunicação social do país.

Expressões como *cancelamento*, *esculacho*, entre outras, traduzem como as seitas identitárias tratam seus adversários e desafetos. Calar, silenciar, intimidar, são os objetivos a alcançar no tratamento com aqueles que resistem ao seu manual autoritário.

A suposta defesa das minorias legitimaria o uso de qualquer método para alcançar seus objetivos. Na verdade, as seitas identitárias promovem um comércio sinistro de princípios com seus financiadores das grandes corporações do mercado. Em troca de dinheiro para a pretensa luta pela inclusão ou por uma vaga na cúpula das empresas, as seitas identitárias concedem às corporações o direito de demitir milhares de mulheres, negros e jovens pobres, espécie de versão contemporânea da compra de indulgências que dava aos ricos o direito ao pecado desde que pudessem pagar por ele.

A permuta é essa: o banco patrocina uma iniciativa da ONG identitária e em troca obtém o silêncio do movimento contra qualquer mazela de caráter social na sua gestão. Há casos, por exemplo, da aquisição de publicações e a instituição passa a figurar na lista dos que trabalham pela equidade de raça e de gênero. O autor ligado à ONG foi beneficiado numa ponta e milhares de jovens, mulheres e negros, demitidos na outra.

O livro de Madeleine Lacsko é um libelo contra a ameaça representada pelo identitarismo ao reunir informações colhidas de muita leitura e de sua vasta experiência como jornalista e comunicadora. Realça no livro a coragem moral da autora, de não silenciar diante da gravidade do tema que examina e a disciplina com que se dispôs a escrever uma bela crônica dos desvarios do identitarismo e de suas várias faces.

É de se destacar que o identitarismo só se tornou possível pela corrupção da virtude que existe na luta pela promoção dos direitos das mulheres e no combate ao racismo em todas as suas formas. Daí que a denúncia do identitarismo precisa ser acompanhada da defesa dos direitos das mulheres e dos negros para que essas nobres causas não se tornem apanágios de aproveitadores.

Thomas Sowell apresenta uma crítica aguçada às bases das fracassadas políticas sociais esquerdistas. Os Ungidos, como define o autor, são uma espécie de casta intelectual e política que se permite balizar os costumes, as leis e até mesmo as moralidades sexuais dos indivíduos sob uma retórica pueril de "bem-estar social geral" e "controle de danos". Uma obra inesquecível escrita por um dos maiores pensadores contemporâneos

A LVM também recomenda

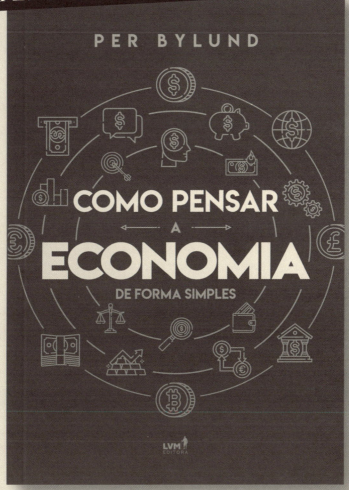

"Como Pensar a Economia de Forma Simples" é definitivamente o livro que irá explicar os principais conceitos econômicos e desmistificar as mais recorrentes dúvidas e críticas sobre as ciências econômicas, sem se apegar a chavões acadêmicos e terminologias eruditas. Per Bylund conseguiu alcançar o raro limiar entre o acessível e a profundidade, e assim entregar um livro de economia para leigos e entusiastas, estudantes e curiosos, ou seja, para todos

A LVM também recomenda

DENNYS G. XAVIER

COMO
PLATÃO
falava
DE
FILOSOFIA

LVM
EDITORA

Um convite a entender Platão em profundidade. Neste livro, o autor dedica-se a apresentar uma face de Platão que, ainda hoje, permanece oculta mesmo a estudiosos do pensador. Atualmente, consideramos natural a ideia de registrarmos por escrito o que, no universo do pensamento, produzimos de mais importante. Para Platão, pelo contrário, este "mais importante" devia se manter, tanto quanto possível, longe de olhos despreparados e vulgares

A LVM também recomenda

O autor mostra um aspecto diferente de Tolkien e de sua mitologia, analisando sua vida e obra e nos permitindo enxergar a dimensão da sua grandeza. Estudando as ideias de mito e linguagem de Tolkien, bem como o propósito de criar uma mitologia própria, o livro nos apresenta os vários simbolismos sacramentais e paralelos encontrados dentro do legendarium (palavra de Tolkien para toda a mitologia), buscando mostrar qual é o dever do homem dentro da ordem criada por Deus

Acompanhe o Ludovico nas redes sociais

🌐 https://www.clubeludovico.com.br/
📷 https://www.instagram.com/clubeludovico/
f https://www.facebook.com/clubeludovico/

Esta edição foi preparada pela LVM Editora e por Décio Lopes,
com tipografia Baskerville e Akrobat,
em janeiro de 2023.